現代中国文学・少年少女編

かかし

葉聖陶(ようせいとう) 著

福井 ゆり子 訳

この本を読んでくれるみなさんへ

福井ゆり子

この本におさめられているのは、今から百年くらい前の中国の作家である葉聖陶先生が書いた童話です。これらの作品が書かれたころ、子どもたちのために書かれた童話はほとんどなく、中国で初めて出版された童話集がこの本でした。

だから、この本に入っているお話はとても古いし、中国のお話なので、日本にいるみんなの今の生活とは、かなりちがうと思います。お話の中に今ではもうほとんど使われなくなった人力車とか、日本にはないマントウという食べもの、胡弓という楽器なんかが出てきます。なんだろう、これ?とちょっと困ってしまうかもしれません。でも、田んぼや畑、太陽やお月さま、郵便配達員、スズメやリスなどのおなじみのものもたくさん出てきます。だから遠い昔の、自分とはあまり関係のないお話だとは思わないでください。わたしたちの使ういくつかの品物は現れては消えていきますが、人の暮らしの基本的なところは実際には大きく変わるものではありません。そして、わたしたちの考えることや、感じることもそう大きく変化するものではないのです。

この本のタイトルにもなっている「かかし」というお話を見てみましょう。「かかし」は今では見かけることが少なくなりましたが、日本でもかつてはよく田畑に立っていたものです。このお話に出てくる善良な「かかし」

は、田んぼの中に立ちつづけ、真夜中にくり広げられるさまざまな悲しいできごとを目撃します。でも、「かかし」はまったく動けないので、ただ見ていることしかできず、悲しみ、あせりますが、何も変えることができません。この気持ちはきっとみなさんにもよく分かると思います。

この時代の中国は、国内にさまざまな勢力が分立し、一つにまとまった強い国ではなかったために、力の強い外国に自分たちの土地を奪われていました。そこに暮らす人たちは、貧しく、苦しい生活を送っていましたが、自分たちの力でこうした現実を変えることはとても難しいことでした。人々の悲しみやあせりは、この「かかし」と同じだったにちがいありません。そしてまた、その中国を苦しめていた国の一つが日本でした。みなさんがこの「かかし」を読むとき、このことを忘れないでいてほしいと思います。

目次

かかし

小さな白い船

一本の小川は、いろいろなかわいいものたちのおうちです。小さな赤い花がそこに立ち、ひたすらにほほえんで、ときどきすてきなダンスをします。緑の草はつゆの玉でかざられていて、まるで仙人の服みたいに、キラキラと輝いています。水の表面は青いウキクサの葉でおおわれ、その黄色い花が一輪また一輪とまっすぐに立っていて、まるで熱帯地方のスイレン——いや、こびとの国のスイレンと言ったほうがよいかもしれません。小魚たちは群れをつくって泳ぎまわり、ししゅう針のように細く、二つのまるい目だけがピカピカと輝いています。青ガエルはずっと目を見開き、どこを守り、何をしているのか分かりません。もしかしたら友だちを待っているのかもしれません。

水面でかすかな音がします。それはお魚さんが奏でていて、彼らは特別な方法でおもしろい音楽を奏で、「パチャ、パチャ」と心地よい音がします。彼らは小さな赤い花にいっしょに踊ろうとさそいかけます。緑のウキクサも、自分の美しい服をじまんするため、続いてやってきました。こびとの国の中のスイレンは、うれしさのあまり軽く震え、青ガエルはぽかんとし、いつの間にか歌を口ずさんでいます。

小川の中のあらゆるものが、もっとおもしろく、もっとかわいらしくなりました。

小川の右側の岸には、小さなお船が一艘とまっています。これはとてもかわいらしい小船で、船体は白く、舵と櫂、そして帆もぜんぶ白です。梭のような、細く長い形をしています。太っちょさんはこの船に

はのらないほうがいいです。太っちょさんがのると、船体が傾いて水の中に落ちてしまいます。お年寄りもこの船には似合いません。お年寄りは顔が黒ずみ、こめかみにしわがたくさんあるので、小船にのると、美しい白に比べて目立ってしまい、恥ずかしくなっても、かくれるところがないからです。この小船には元気で美しい子どもだけがふさわしいのです。

　ほんとうに二人の子どもが川のほとりを歩いてきました。一人は男の子で、白い服を着て、ほっぺたがリンゴみたいに真っ赤です。もう一人は女の子で、水色の服を着て、顔は赤くつややかで、きめ細かく柔らかです。二人は手をつないで、軽い足取りで小さな林を抜けて、小川のそばまでやってきて、小さな白い船にのりました。小さな白い船はしっかりと二人をのせ、じまんげに少しゆれました。

「ここにちょっと座ろう」

　男の子が言いました。

「いいわ、小魚さんを見ましょう」

　女の子は船べりにもたれて答えました。

　小魚はまだ音楽を奏でていて、青ガエルも歌をうたいつづけています。男の子はウキクサの花を一つ摘んで、女の子のおさげに挿してあげました。彼は笑って、「まるでお嫁さんみたいだ」と言いました。

　女の子は聞こえなかったようで、男の子の袖を引っぱり、「お魚さんの歌をいっしょにうたいましょうよ」と言いました。

　彼らは歌いだしました。

おいでよ、おいでよ、お魚さん
ここには網も、針もないよ
いっしょにすてきな歌を歌おうよ
いっしょに楽しく遊ぼうよ

おいでよ、おいでよ、お魚さん

ここには網も、針もないよ
いっしょにきれいな花を摘もうよ
いっしょに楽しく遊ぼうよ

おいでよ、おいでよ、お魚さん
ここには網も、針もないよ
楽しいものが何でもあるから
いっしょに楽しく遊ぼうよ

歌が終わらないうちに、強い風が吹いてきて、小川の両岸の、花や草のダンスのリズムがどんどん速くなり、水面も波だってきました。男の子は帆をはり、風にのって行こうとしました。女の子は舵を取り、手を舵の上に添えて、ベテラン船頭のようです。両岸の景色が飛ぶように後ろに消えていって、小さな白いお船はトビウオのように小川の上を走っていきます。

風が急に激しくなり、両岸の景色がはっきり見えなくなり、ただ黒い影が後ろに過ぎ去っていくのが見えるだけです。船底の水の音がすべての音を消し去っています。帆は風をいっぱいにはらんで、布袋さんの太鼓腹のようです。小さな白いお船はどこに行っちゃうんだろう。二人の子どもはあわてました。こんなに長い時間進むと、どこに着くか分かりません。小さいお船を止めようとしましたが、止められず、白い船は飛ぶように進んでいきます。

女の子は泣いています。お母さんが恋しくなり、自分の小さなベッド、小さな茶色の猫を思いだしたのです。今日は会うことができないかもしれません。いくら大好きなお友だちがいっしょにいても、ママもベッドも小さな茶色い猫も、なくてはいやです。

男の子は風に吹かれて乱れた彼女の髪を整え、流れる涙を手でぬぐってあげました。

「泣かないで、いい子だから。一滴の涙は一滴の甘露だから、大切にしなきゃ。強い風もいつかはやむよ。大きな波もいつかは静まるようにね」

女の子は彼の肩にもたれかかり、泣きやまず、なげき悲しむ仙女のようです。

男の子は船を止める方法を考えました。女の子に船べりをしっかりつかませて、自分は立ちあがり、左手で帆の縄の結び目を引っ張り、右手で櫂を握りました。すぐに結び目はとけ、櫂を岸辺に突き立てました。帆が落ちてきて、小さな白い船はもう前に進まなくなりました。岸辺を見ると、人影のない広い野原です。

二人の子どもは岸に上がりました。風はまだ狂ったように吹き荒れていて、大きな木は揺さぶられすぎて、疲れているようです。女の子はようやく泣きやみましたが、まわりを見渡し、人がおらず、家もないのを見ると、涙がまた泉のようにどっとあふれてきました。男の子は彼女をなぐさめて言いました。

「家はないけど、小さな白い船があるよ。人もいないけど、ぼくたちは二人いっしょだから、楽しいじゃない？　いっしょに遊ぼうよ」

女の子は彼の後について歩いていきました。風が吹きつけてちょっと寒かったけど、彼らはぴったりと寄りそい、互いに手で腰をしっかりと引き寄せました。数百歩ほど歩いたところで野生の柿を見つけました。木の上で熟したものは無数のメノウの玉のようで、地面に落ちているものもありました。女の子は一つ拾いあげ、二つにわって食べてみると、すごく甘かったので、男の子にも拾って食べさせました。

二人は、すべてを忘れて、地面に座って柿を食べました。とつぜん、しげみから小さな白ウサギが走り出てきて、彼らの目の前で伏せってじっと動かなくなりました。

女の子はウサギを胸に抱きかかえ、柔らかな毛をなでました。男の子は笑って「また仲間ができた。

さみしくなくなったね」と言いました。彼は柿をわって小さな白ウサギにあたえました。赤い汁が小さな白ウサギの顔にかかりました。

遠くから人が走ってきました。背が高く、恐ろしい顔をした人です。彼は小さな白ウサギが彼らのそばにいるのを見ると、けわしい顔をして、白ウサギを彼らが盗んだと言いました。

男の子はあわてて「このウサギは自分から来たんだ。ぼくらはこのウサギが好きだ。かわいいものは、みんな大好きだ」と言い訳をしました。

その人はうなずいて、「それなら、きみたちのせいにはしないよ。ウサギを返してくれればそれでいい」と言いました。

女の子は返したくなくて、小さな白ウサギをぎゅっと抱きしめました。ウサギの白い毛に顔をうずめ、今にも泣きだしそうです。その人はそんなことにはかまわず、手を伸ばして小さな白ウサギを奪いました。

そのころ、風はしだいにやんできていました。男の子は、せっかく人に会ったんだから、ちょっと聞いてみようと思いました。それで、その人に、ここは家からどのくらい離れていて、どの川を行ったらいいのかと聞きました。

その人は、「きみたちの家はここから十キロ以上離れていて、川はくねくねしているから、帰り道は分からないだろう。私が送ってあげてもいいよ」と言いました。

女の子はとても喜びました。この人は怖い顔をしているけれど、心はやさしい人にちがいないと思いました。そこで、「じゃあ船にすぐのりましょうよ。ママと小さな茶色い猫が待っているわ」と言いました。

「それじゃあ、だめだよ。きみたちを送っていったら、きみたちはぼくに、どんなお礼をくれるんだい？」とその人は言いました。

男の子は「きれいな絵をあげるよ」と言いました。

女の子は「コスモスの花束をあげるわ。赤も白もあって、とてもきれいよ」と言いました。

その人は首を振り、「何もいらないけど、三つの質問にきみたちが答えられたら、送っていってあげよう。答えられなかったら、ウサギを抱いておかまいなしに行っちゃうよ。それでもいい？」と言いました。

「いいよ」と、彼らは同時に答えました。

その人は言いました。

「一つ目の問題だ。鳥はなぜ歌をうたうの？」

「自分を愛してくれる人に聞いてもらうため」

女の子が先に答えました。

その人はうなずいて言いました。

「悪くない答えだね。じゃあ二つ目の質問。花はどうして香るの？」

男の子が答えました。

「香るのはいいことで、花はいいことのシンボルだから」

その人は拍手をして言いました。

「おもしろい。じゃあ、三つ目の質問だ。どうしてきみたちがのったのは小さな白い船なんだい？」

女の子は、教室で先生の質問に答えるように、右手を上げました。「なぜなら、わたしたちは純潔で、小さな白い船だけが、わたしたちをのせるのにふさわしいから」

その人は大笑いをして言いました。

「いいだろう、きみたちを送っていってあげよう」

ふたりの子どもは、とても喜びました。互いに抱きあってほおずりをし、小さな白い船に走って戻りました。

前と同じように女の子が舵を取り、男の子とその人が一本ずつ櫂をこぎました。女の子は両岸のマングローブやわらぶき屋根の家、田畑をながめ、神さまや仙人が住む世界のようだと思いました。さらに彼女が喜んだのは、あの小さな白ウサギが彼女から離れないで、足元にいることです。彼女は手を伸ばしてタデの花を摘み、ウサギに匂いをかがせ、遊ばせました。

男の子は、「強風がなかったら、この楽しさもなかったね」と言いました。

女の子は、「あの人の質問に答えられなかったら、今こんなに楽しくなかったわ」と言いました。

その人は櫂をこぎながら、ただほほえんで彼らを見ていました。

小さい白い船がもとあった場所に戻ったとき、小さな赤い花も緑の葉っぱもとっくにダンスをやめていて、ウキクサはぐっすりと寝ている小魚たちにおおいかぶさり、青ガエルだけが、ひっきりなしに歌いつづけていました。

一九二一年十一月十五日

おろか者

おろか者の姓が何か、何という名なのか、だれも知る人はいませんでした。

彼は生まれてすぐ、孤児院の壁にはめこまれた大きな大きな引き出しの中で眠っていました。その大きな引き出しを、きみたちは見たことがあるでしょうか？　とても深く、大きく、まるで小さな棺桶みたいなのです。子どもが生まれてきても、両親は育てることができず、子供をその大きな引き出しに入れたのです。こうしたことはいつでも真夜中に行われるものだから、だれもそれを知りませんでした。

次の日、孤児院の人が引き出しの中にいる赤ちゃんを見つけ、引き取って育てることにし、乳母におっぱいをあげるよう頼みました。母親以外のおっぱいがおいしいはずもなく、おろか者はこうしたおいしくないおっぱいを飲んで育ったのです。

二歳ぐらいになっても、彼はまだやせて小さく、顔には年寄りのようなしわまでありました。「ンパ、ンパ」という声しか出せず、言葉をしゃべることができず、人を呼ぶこともできませんでした――彼には呼ぶ必要があるような親しい人もいません。彼は笑うこともできませんでした。

ある日、乳母はご機嫌で、彼を抱っこしてあやしていました。乳母は三角形のあめを口に入れ、彼に口移しで食べさせようとして、彼の頭を押さえ、小さな口を自分の口に近づけました。すると、彼はあめを受け取る前に、生えたばかりのするどい前歯で乳母のくちびるをかみ切ってしまいました。口紅のように血がにじみ、乳母は痛さのあまり、彼の頭を数回ひどくなぐり、「このおろか者め！」とののしりました。おろか者という名前は、このときから使われるようになったのです。

　おろか者は六歳のとき孤児院を出て、ある大工に弟子としてもらわれていきました。彼が斧を振るうと、腕がふらふらし、振りおろしても木の皮しか削れません。彼がのこぎりを使うと、押しても引いてもまったく動かないことがしょっちゅうで、顔が耳まで赤くなりました。親方はいつでも、まず数回なぐってから、教えました。彼は泣いたことがなく、まるで痛みを感じていないかのようでした。斧が振るえるようになると彼はひたすら木を削り、のこぎりを引けるようになると、彼はひたすらのこぎりで木を切りました。近所の人は彼のそんなようすを見て、だれもが彼はほんとうにおろか者だと言いました。

　とても寒いある夜、おろか者と兄弟子の二人が、夜なべ仕事をしていました。金持ちの家で急いで五層の壁を持つ暖かい部屋をつくらねばならず、親方は彼らに、「今日の夜じゅうに木の板をぜんぶきちんと切っておけ。明日の朝いちばんで金持ちの家に持っていって使うんだ。お前たちはぜんぶきちんと切ったら寝ていい。今夜じゅうに切り終えないと、明日ひどい目にあわせるぞ」と言い、自分は寝にいってしまいました。

　おろか者は親方がぐっすり寝てしまったのを知り、こっそり兄弟子に言いました。

「寒いし、疲れたでしょうから、もう寝たらどうですか」

「とっくの昔にまぶたが開かなくなっているよ。でも木を切り終えていないし、明日親方になんて言う？」

「ぼくがいますから」

おろか者は胸を叩いて言いました。

「あなたは気にしないで。すべてぼくが切りますよ。夜が明けるまでにあなたの分もやっておきます。あなたのふとんはあまり暖かくないから、ぼくのボロ綿ぶとんをかけてください。ぼくはどうせ寝ませんから」

兄弟子はおろか者のボロ綿ぶとんを地面にしき、さらに自分の上掛けをかけました。彼はそこに寝そべり、ごろんとくるまると、気持ちいい天国へ入ってしまいました。

おろか者は兄弟子が彼の言うことを受け入れてくれたので、とても満足しました。自分のボロ綿ぶとんも兄弟子を快適で安楽な王国へと誘いこんだし、すごくよかったと思いました。彼は手を休めず木の板を切りつづけました。手はかじかんで、感覚がなくなりました。風が窓のすきまから入ってきて、小さな灯油ランプの炎をゆらし、木についている墨の線を見るのを難しくしていました。彼は何も気にせず、ただ木の板を切りつづけ、機械のように働きました。

空が明るくなりましたが、早すぎました。おろか者は一晩じゅう木を切っていましたが、まだ二本残っています。親方がのこぎりの音を聞いて飛んでくると、おろか者一人がのこぎりを使っており、もう一人の弟子はボロ綿ぶとんにくるまってぐっすり寝ています。親方は怒り狂って飛びかかると、ふとんをはがし、彼を打ちすえました。おろか者はあわてて「彼が寝たがったんじゃなくて、ぼくが彼を寝させたんです。親方、彼をぶたないでください」と言いました。

親方はそれを聞くとますます怒り狂いました。彼は「金持ちんとこの仕事を遅らすと、罰せられるにちがいない。すべてこのおろか者のせいだ」と思いました。彼は木尺を持って、力いっぱいおろか者の頭を打ちすえ、「このおろか者めが。人をそそのかしてなまけさせ、私の仕事をだいなしにした。なんてやつだ！」とひどくののしりました。

　おろか者はさらに罰として、ご飯を二回抜かれました。ご飯の時間になると、ほかの人がご飯三杯、おかず一皿をがつがつ食べているのを、そばで立って見ているしかありませんでした。

　ある日、おろか者がよその家での仕事を終えて帰ってくると、もうあたりは暗くなっていました。彼はゆっくり歩いていましたが、とつぜん何かを踏みつけたので、拾いあげて見てみると、それはずっしりと重い小さな袋でした。街灯の下でそれを開けてみると、まぶしく輝く白い小さな丸いものが十個ほど入っています。おろか者はこれが銀貨だとは知りませんでした。

　おろか者は街灯の下で考えました。「この白くてキラキラするものは、ぼくには何の役にもたたないけど、持ち帰ろう。今夜はやはりご飯を二杯食べ、ふとんにくるまって寝よう。親方はこれが大好きだけど、どうしてなのかな？」

　彼はけんめいに考えましたが、まったく分かりませんでした。「まあいいや、どうせ使わないのだから、捨ててしまおう」と袋をゴミ箱に持っていきかけましたが、思い直しました。

「この袋は、どっちにしてもだれかがなくしたものだ。その人は親方と同じように、これがとても好きで、なくして悲しんでいるにちがいない。ぼくがこれをゴミ箱に捨てて、その人が見つけられなかったら、ひどく泣いちゃうかも」

　そう思って、その人が探しにくるまで待つことにしました。

　夜市に店を出していた行商人が帰り、酔っぱらいが人に支えられながら帰り、パトロールの警官が通り過ぎ、店の戸がみんな閉まって、通りには人っ子一人いなくなり、ただ街灯だけが静かに光を放っています。この袋を探しにくる人がいないので、彼はふしぎに思って、「もしかしたら街灯がなくしたのかな。じゃなかったら、みんな寝ているのに、どうして街灯はずっと両目を開けたまま眠らないでいるんだろう」と思いました。

向こうから足音が聞こえてきました。せかせかと軽い足音です。おろか者は「きっと落としものを探しにきた人にちがいない」と思いました。街灯の光をたよりに遠くを見ると、それはおばあさんで、目に涙をためていました。彼女は歩きながら地面を見ていて、そばに立つおろか者には気づいていません。

「おばあさん、袋の中の白くてキラキラしたものを探しているの？　ここにあるよ！」

彼は近づいて言いました。

「早く私にお寄こし！　ああ、神さま仏さま」

おばあさんは笑いましたが、しわくちゃの笑い顔はとてもみにくいものでした。

親方はおろか者が戻ってこなくても、まったく気にすることはなく、彼が川に落ちておぼれ死んだか、あるいはだまされて連れ去られたのかと思っていました。おろか者は手探りで家に入りましたが、家の中は真っ暗で、親方も兄弟子もとっくに寝てしまっていて、いびきが雷のように鳴り響いていました。おろか者は自分のボロ綿ぶとんを探り当てると、それにもぐりこみました。

次の日夜が明けると、兄弟子はおろか者がとなりで寝ているのを見つけ、彼をつつき起こして、昨夜はどこに行っていたのかと聞きました。おろか者はできごとをひととおり話すと、兄弟子はふとんの中から片手を出し、彼のこめかみを指ではじいて「このおろか者めが！」と言いました。

またある日、おろか者が工事をしている家の棟上げ式があり、例によって蒸しケーキとマントウが大工にもふるまわれました。おろか者は蒸しケーキとマントウを二つずつもらいました。

帰りの道で、おろか者は難民の群れに出会いました。いちばんかわいそうだったのは、女性とすっぱだかの子どもたちで、子どもをぼろぼろできたない衣服にくるんで背負っている女性や、子どもを胸の前に抱きかかえ、おっぱいをあげている女性がいました。難民たちは苦しそうにわめいていて、まるで荒れ地のカラスみたいでした。

おろか者は変に感じました。難民が彼の手にある蒸しケーキとマントウをじっと見つめていたのです。

「これを食べたいのかな？　蒸しケーキが甘くて、マントウがしょっぱいことを彼らは知らないかもしれない。これを彼らに食べてもらおうか。どうせぼくは帰ったら、ぼくの分け前のご飯が二杯あるのだから」

おろか者は蒸しケーキとマントウを難民にあげました。難民はこんなにいいものをくれる人がいるとは思いもしませんでした。彼らはわめくのをやめ、蒸しケーキとマントウを細かくちぎって、おとなも子どもも、みんな分け前をもらいました。彼らはすぐに飲みこむのがもったいないかのように、細かくかみ砕き、ごちそうを食べたかのようにじっくりと味わって食べました。おろか者はそばで見ていて、とてもおもしろいと思いました。

近所の人はおろか者がおいしいものを持ち帰ることをとっくの昔に知っていたため、おろか者が玄関に着くやいなや呼び止めて、「棟上げの蒸しケーキとマントウを半分おくれよ」と言いました。

おろか者はからっぽの両手を広げて、「もっと早く言ってよ。悪いけど、蒸しケーキとマントウは難民にあげちゃったよ」と笑って言いました。

近所の人は顔をしかめ、つばをはきかけ、声を伸ばして言いました。

「こ、こーのーおろか者めが！」

ある日、工場の操業がすべて停止され、店もぜんぶお休みとなりました。なぜなら国王が広場で演説をするので、みんなが聞きにいかねばならなかったからです。国王はとても勇ましく、しょっちゅう軍を率いて隣国に攻めこみ、一度たりとも負けたことはありませんでした。でも最近、彼は戦争に負けました。初めて隣国に負けてしまったのです。

おろか者もみんなといっしょに広場にやってきました。広場にはもうたくさんの人が立っており、無数のアリのようです。おろか者はゆっくりと前ににじりより、演説台の下まで行きました。彼が見上げると、国王の怒った顔が見え、目からは今にも炎が吹き出そうで、両側にはねあがったひげは、まるでやりの先のようでした。彼は次のような演説をしていました。

「いまだかつて、こんな屈辱を受けたことはない。こんなひどい屈辱を受けたことは今までになかった。われわれは戦争には必ず勝ち、人に負けるなんてことはあってはならない。にっくき敵を、私は一人残らず殺してやる。いま敵が一人ここに立っていて、一刀のもとに首を切り落とせたら、心の中の恨みを晴らすことができるのに！」

広場には他の音は何も聞こえず、国王の吠えるような声が聞こえるだけです。おろか者は国王をとても気の毒に思いました。彼の怒りはすさまじく、今にでも倒れてしまうのではないかと思うくらいです。でも、目の前には彼が首を切り落とすことのできる敵もおらず、彼の怒りをどうやっておさめたらいいでしょうか。おろか者は考えなおしました。方法はあります。彼は大声で叫びました。

「王様、敵を待つ必要はありません。一人殺せば気が済むなら、どうかぼくを殺してください！」

「おろか者、おろか者！」

広場の人はみな叫びはじめ、その声は犬猫を叱りつけるようでした。みんなは言いました。

「こんなおろか者は見たことがない。国王の厳かな演説をさえぎるなんて」

しかし意外なことに、国王から怒りの表情が消え、その目にとつぜん慈悲の光が浮かびました。彼は顔じゅうにほほえみを浮かべ、おろか者に言ったのです。

「私を教えさとしてくれ、ありがとう。私は敵をぜんぶ殺したいのに、あなたは彼らを許すばかりか、彼らに代わって死のうと言う。私はあなたにかないません。これからはもう戦争はしないことにします」

国王はおろか者に、いっしょに宮殿でお酒を飲もうと誘いました。彼が大工だと聞くと、おろか者に、永遠に戦争をしない記念として、大きな記念碑をつくってくれるようたのみました。

そこでおろか者は記念碑を彫り、とてもきれいにつくりあげました。その記念碑にはたくさんの平和の神さまがいて、手にいろいろな楽器を持ち、多くのけものが静かにその足元に座り、彼らの演奏を聞いています。さらに生い茂る木や草花があり、楽しそうに風にゆれています。

記念碑ができあがりました。そのおひろめをする日、国王は自ら大きな花輪を記念碑の真ん中にかけました。全国から人々がお祝いにやってきて、おろか者に向かって歓声をあげ、おろか者をかつぎあげて、彼の身体に花をまきました。

記念碑の前を通り過ぎる人はみなこれを指さして、「これがおろか者の手柄なんだよ」と言うのでした。

一九二一年十一月十六日

一粒(ひとつぶ)の種(たね)

世界にたった一粒(ひとつぶ)しかない種(たね)があり、それはクルミほどの大きさで、緑色の皮がとてもかわいらしく、それを見た人は好(す)きにならずにはいられませんでした。それを土に植えると、緑の玉(ぎょく)のような芽(め)が出てくるそうです。咲(さ)く花はもちろんさらに美しく、バラもボタンもキクも、すべて比(くら)べものにならない美しさだそうです。さらに濃厚(のうこう)な香(かお)りがあって、ランもキンモクセイもユリもかないません。でもこれを植えたことのある人はおらず、当然(とうぜん)その美しい花を見たことのある人も、香りをかいだことのある人もいません。

国王はこういう種があると聞くと、喜(よろこ)びのあまり笑(わら)いが止まりませんでした。白いふさふさのひげが森のようにぼうぼうと彼(かれ)の口をおおっていて、今、その森の中に一つの穴(あな)があいています。笑いが止まらず口が合わさらないからです。彼は言いました。

「私(わたし)の庭園には、どんな花もある。北の雪の下に咲く小さな白い花も、人をやって移植(いしょく)させた。南の熱帯(ねったい)のお盆(ぼん)のように大きなハスも、人をやって貢(みつ)がせた。でもこれらはみんな世界では普通(ふつう)の花で、私だけでなく、他の人も手に入れることができる。なんの珍(めずら)しさもない。今聞いたようなそんな珍しい種があるなんて、とてもすばらしいじゃないか。たった一粒しかないなんて。それが芽を出し、花を咲かせたら、世界に同じものはないだなんて。これこそ私がもっとも尊(とおと)く、権力(けんりょく)があることを示(しめ)すものだ。ハ、ハ、ハ！」

国王は人にこの種を取りにいかせ、白玉(はくぎょく)でつくった鉢に植えさせました。土は宮殿内の庭園のもので、何度もふるいにかけて、これ以上細かくできないほど細かくしました。やる水は金のカメに入れたもので、これ以上きれいにはできないほど何度もろ過しました。毎日早朝、国王は自らこの鉢を温室の中から運びだし、宮殿の前の階段におき、夜になると自分でそれを室内に運び入れました。寒くなると温室の中に火をくべ、暖かくしました。

　国王は寝ているときも、夢の中でも、鉢から緑の玉のような芽が出てくるのを見たいと思っていましたので、目覚めているときにはもちろん、いつでも鉢のそばに座って待っていました。しかし、その緑の玉のような芽はどこにあるのでしょう？　ただ白玉の鉢と、そこに入っている黒い土があるだけです。

　時間は逃げるように過ぎ去り、あっという間に二年が経ちました。春になって、草が芽吹くころ、国王は鉢のそばで、「草だってもう芽を出しているんだから、お前も続いて芽を出しておくれ」と祈りました。秋になって、多くの種が芽吹くころ、国王はまた鉢のそばで、「二回目の芽も出たので、お前も続いて芽を出してくれ」と祈りました。でも、まったく効果がありません。そのため国王は怒り、「これは死んだ種だ。腐ってみにくいのに、私はどうしてこんなものに期待したんだろう！」と言って、その種を泥の中から掘り出してみると、まったく前と変わらぬようすで、クルミほどの大きさで、つややかな緑をしていました。見れば見るほど腹が立ち、彼はそれを池の中に力いっぱい放り投げました。

　種は国王の池から、水の流れにのって、田舎の小川までやってきました。漁師が川で魚をとろうと網を引くと、そこに種が入っていました。珍しい種だと思った漁師は、それを大声で売り歩きました。

　金持ちはその声を聞くと、うれしさのあまり、目を細めて笑い、太った顔が空気を入れた球のようにパンパンになりました。彼は「私の家には貴重なものなら何でもある。ニワトリほどの大きさのダイヤモンドも、クルミほどの大きさの真珠も、すべて大金をはたいて手に入れた。でも、それが何だというのか。持っているのは私だけではないうえに、あれもこれも金銀財宝というのでは、あまりに俗っぽすぎる。でも今では、このたった一粒しかない種がある！　これが花を咲かせたら、私は明らかに上品になるだけでなく、世界じゅうの金持ちを圧倒することができるのだ。ハ、ハ、ハ！」

金持ちは漁師から種を買い取り、種を銀でできた鉢の中に植えました。彼はわざわざ四人の有名な植木職人を雇い、この種の面倒を見させました。この四人は三百人余りの中から試験で選びだしました。試験はとても難しく、あらゆる名花の栽培の秘訣を聞かれ、彼らははっきりすべてに答えたのです。試験に合格した彼らには高い給料が払われ、ほかに支度金も与えて、安心して仕事ができるようにしました。この四人は確かにめいっぱい努力し、かわるがわる銀の鉢のそばで見守り、一秒たりとも無人にしませんでした。彼らは能力の限りをつくし、よい土、よい肥料を使い、時間どおりに水をやり、時間どおりに日に当てるなど、やれることはすべてやったのです。

金持ちは、「こうして心を尽くして面倒を見れば、種は倍のスピードで芽を出すだろう。花が咲いたら、宴会を開いてお客をもてなそう。私と同じくらいの金持ちを招いて、彼らにこの世に二つとない美しく珍しい花を見せ、私がいちばん豪勢で、いちばん優れていると納得させるのだ」と考えました。そう思うとますます焦りを感じ、すぐさま銀の鉢のそばに行き、のぞきこみました。でも緑の玉のような芽はまったくなく、ただ銀の鉢と黒い土があるだけでした。

　時間は飛ぶように過ぎ去り、あっという間に二年が経ちました。春になり、まもなくお客を招いて宴会を開くというときに、彼は鉢のそばで「お客をもてなさなきゃいけないので、どうか早く芽を出し、花を咲かせてくれ」と祈りました。秋になり、まもなくお客を招いて宴会を開くというときに、彼はまた鉢のそばで、「またお客をもてなす必要があるから、どうか早く芽を出し、花を咲かせてくれ」と祈りましたが、まったく効果はありません。そこで金持ちは怒って、「これは死んだ種だ。腐ってみにくいのに、私はどうしてこんなものに期待したんだろう！」と言って、その種を土の中から掘りだしてみると、まったく前と変わらぬようすで、クルミほどの大きさで、つややかな緑をしていました。見れば見るほど腹が立ち、彼はそれを力いっぱい壁の外に放り投げました。

　種は壁をこえ、ある商店の入り口に落ちました。商人がそれを拾いあげ、とても喜びました。「珍しい種が入口に落ちていた。私はきっと金持ちになるにちがいない」と彼は言いました。そして彼は種を店のそばに植えました。彼は種がすぐに芽を出し、花を咲かせるのを楽しみにして、毎日店を開くときに見にいって、店を閉じるときにもまた見にいきました。一年がたちまち過ぎ去りましたが、緑の玉のような芽は出てきません。商人は腹を立て、「私がバカだった。珍しい種だと思うなんて。これは死んでいて、腐ってみにくいものだ。こんな役立たずのものを気にかけるべきではなかったと、今やっと分かったよ」と言い、種を掘りだすと、道端に放り捨てました。

　種は道に半日ほど転がっていて、掃除夫によってゴミといっしょにはき集められ、ゴミ回収車にのせられ、軍営のそばに捨てられました。一人の兵士が拾いあげ、うれしそうに「珍しい種を拾ったから、きっと昇進するぞ」と言いました。彼はその種を軍営のそばに植えました。彼は種がすぐに芽を出し、花を咲かせるのを楽しみにしていて、訓練が終わると短銃を懐に入れて、そばにしゃがんで眺めました。別の兵士が彼に、そこにかがみこんで何をやっているのかと聞きましたが、彼はとぼけて言いませんでした。

一年余りが過ぎましたが、まだ緑の玉のような芽は出てきません。兵士は腹を立て、「おれがバカだった。これをめずらしい種だと思うとは。これは死んでいて、腐ってみにくいものだ。こんな役立たずのものを気にかけるべきではなかったと、今やっと分かったよ」と言いました。彼は種を掘りだして、全身の力をこめて、遠くへ放り投げました。

種は飛び、飛行機にのっているように飛んで、飛んで、飛んで、最後に落ちたのは、見わたすかぎり緑の麦畑でした。

麦畑の中には若い農夫がいて、顔は日に焼けて醤油のように黒く、腕の筋肉はあちこち盛りあがり、大力士の彫刻のようでした。彼の手には先が曲がった鋤があり、ちょうど畑の土を掘り起こしているところでした。彼はしばらく耕した後、頭を上げてまわりを見わたし、口もとに穏やかな笑みを浮かべました。

彼は種が落ちてくるのを見て、「ほう、なんてかわいい種なんだ。これを植えてあげよう」と言い、鋤で穴を一つ掘って、種をその中に植えました。

彼はいつもどおり仕事をして、鋤を入れて耕し、水をやり続けました。当然、その種がある場所も同じように、鋤を入れて耕し、水をやっていました。

数日もしないうちに、その種を植えた場所から緑色の小指ほどの太さの若芽が出てきました。また数日経つと、茎が伸び、枝を出し、まるで緑の玉の彫刻のような小さな木が畑の中に立ちあがりました。

枝にはすぐに花のつぼみができ、最初はクルミほどの大きさだったのが、どんどん大きくなって、オレンジほどに、リンゴほどに、そしてブンタンほどの大きさになり、しまいにはスイカほどの大きさになって、花を咲かせました。花びらは赤く、数えきれないほどの層になっていて、蕊は黄金色で、数えきれないほどの数です。花びらや蕊から、珍しい濃厚な香りがし、だれであろうとも近づくと、その香りが移って永遠に消えることがないのでした。

若い農夫はやはりふだんどおり仕事をし、畑を行ったり来たりしました。この珍しい花のそばを通り過ぎるとき、彼はちょっとそこに立ち止まり、花を見て、葉を見て、口元に穏やかな笑みを浮かべました。

村人はみなこの珍しい花を見にやって来ました。帰るときには、だれもが顔に穏やかな笑みを浮かべ、全身に濃厚な香りをまとっているのでした。

一九二一年十一月二十日

地球

むかしむかし、大地はつるつるでまんまるで、まるでゴムまりのようでした。

どうしてその後、高い山ができ、山の下には平地ができ、さらにはへこんで水をたたえた海ができたのでしょうか。

当初、人々は地球で、みんなが安らかに楽しく暮らしていました。おなかがすいたら、木になっている実をとって食べていました。新鮮な果実はとてもきれいで、手にとってみると、飢えを忘れてしまうほどです。味も香りもよく、口の中に入れるとたとえようのない幸せを感じました。

人々はひまでやることがなく、そこらじゅうで歌をうたったり、ダンスをしたりしていました。人だけでなく、鳥も、木々も、風も、泉も、いっしょに歌っていました。けものも、大木も、草も、星も、いっしょにダンスをしました。

人々はとてもにぎやかに、楽しく過ごしていました。彼らは悩みを知らず、泣いたこともありませんでした。彼らは疲れると地面に横たわり、月明かりがやさしいおばあさんのように、銀色の光で彼らの顔を照らします。彼らが夢を見たり、楽しそうに笑ったりしているのが見えるでしょう?

とつぜん、雲間から風が吹いてきて、木の葉をすべて吹き飛ばしてしまいました。人々はおどろき、怖がりはじめました。あらゆる木がまるはげになり、果実が一つもなくなってしまったのを見て、おなかがすいたら、どうやって生きていったらよいのかと考えました。

歌唱大会は中止され、舞踏会も中止され、みんなが、「たいへんな時がやってくる！　たいへんな時がやってくるぞ！　見てみろ、木に一つの果実もない」と叫びました。

「私たちは何を食べるの？　何を食べたらいいの？　おなかがすいたら、どうすればいいの？」

「早く何か方法を考えなきゃ、みんな考えなきゃ。飢えるのはつらいもの」

賢い人が方法を思いつきました。

「果実を食べて生活をするのは心もとない。栽培をすれば収穫でき、収穫したものを貯蔵すれば、食べたいときに食べることができ、飢えることはない。みんなで耕作をすればいいんだ」

みんな、それを聞いていっせいに拍手をし、喜びの声をあげました。

「助かった！　もう飢えなくてもすむ。みんなで耕作をしよう！」

彼らは高らかに叫びながら、鋤を振りあげ、自分の立っている場所を耕しはじめました。でもひ弱な人がいて、鋤を振るえなかったので、ただそばで見ているしかありませんでした。自分がまもなく飢えてしまうことを考え、彼らは畑を耕している人に言いました。

「できた作物をすこし分けてくれる？　友だちだから、気の毒に思ってくれるよね。私たちは鋤を振ることができないんだよ」

鋤を手に持つ人は考えました。分けてあげるのは、容易なことではありません。でも、できたものが多ければ、食べきれずに積みあげておいても、しかたありません。だから、彼らは「いいよ」と答えました。

収穫の季節になると、米やら麦やらを彼らに一人前ずつ、鋤を手に耕した人と同じだけあげました。

耕作をするときは、かたい土や石ころを選んでどかす必要があります。ひ弱な人が立っているところはあいているので、選り分けた土や石をそこに捨てました。土や石が高く積みあがると、ひ弱な人が立っているところも高くなりました。彼らは、水が一桶また一桶と注がれても、いつも水がめの水面に浮かんでいる泡みたいです。

鋤を手にしている人たちは、耕作して収穫したものをひ弱な人たちに今までどおり、一人前ずつ分け与えていました。でも彼らに分けようとすると、前のように簡単ではなくなり、米だの麦だのを背負い、土石の山をのぼらねばなりませんでした。山はどんどん高くなり、米だの麦だのはどんどん重くなって、その重さで彼らの背中はまがり、胸がひざにくっつくほどでした。彼らはふいごのようにあえぎ、一歩そしてまた一歩と土石の山をのぼり、汗が泉のように毛穴から流れでてきました。彼らは歌をうたって、疲れを忘れようとしました。彼らはこんな歌をうたっていました。

彼らはよい友だちだ、よい友だちだ
彼らは鋤が振るえず、ぼくらは鋤を振るえる
米を分けてあげよう、麦を分けてあげよう
ぼくらには力があるのだから、友だちを助けなきゃ

ひ弱な人たちは贈りものを受け取ると、何もしないで食べ、食べ終えるとまた次のが届き、三番目、四番目の贈りものを届ける人も、馬か牛のようにものを背負ってよじのぼってきます。ひ弱な人たちが下を見ると、土石の山にはもう足跡で道ができていて、ものを背負った人がつぎつぎと、ふらつきながらよじのぼっていて、ちょっとまぬけに見えます。ひ弱な人たちはそれを見て、白くやせた顔に冷笑を浮かべました。

しかしまずいことに、鋤を持つ人が耕した場所のところどころに、とつぜん水がたくさんたまりはじ

め、耕せなくなりました。水はどこから来たのでしょう？　賢い人がその出所を察して言いました。

「あのひ弱な人たちの立っている土石の山を見てごらん。私たちがふみつけてへこんだところを、ざあざあと水が流れ下っているのが見えるよね。水が石に当たって、しぶきが上がっているよ。水はあの土石の山の上から流れてきたんだ。その理由をつきつめると、私たちの身体がその水の出所なんだ。私たちがものを届けるときに出た汗が、その水の源だよ」

賢い人の言うとおりです。でも、水に浸かった場所は耕すことができません。どうしましょう。みんなが少しつめて、水のないところを耕すしかありません。

一年また一年と過ぎていき、鋤を持つ人はがんばって畑をつくり、たえず収穫物を土石の山の上に運んでいました。彼らの汗は土にしみこみ、石がしっかり固定されました。汗は栄養たっぷりですので、この土石の山からは青い草が生え、木が生い茂りました。ひ弱な人はひまでやることがないため、落ちくぼんだ目を細めて眺め、ほめたたえました。

「これはもう立派な山だ。見てごらん、山の上の景色はよく、とても美しいよ」

山の周囲には土や石がどんどん積みあがり、山はどんどん高くなり、のぼって収穫物を届けるのもどんどんたいへんになり、彼らはますます多くの汗を流しました。汗はたえず山の上から下へと流れていき、地面にたまった水の範囲も当然のことながら、どんどん拡大していき、耕すことのできる場所は、当然のことながら、どんどん減っていきました。鋤を持つ人は、ますますひしめきあうしか方法はありません。

後に、鋤を持つ人は、これ以上山の上に収穫物を届けることはできない、届けると耕作の時期を逃してしまうと思うようになりました。そこで、彼らはひ弱な人たちに相談をもちかけました。

「山道が長すぎて、私たちはもう収穫物を届ける時間が本当になくなってしまった。あなたたちはどうせやることもなくひまだから、自分たちで山を下りて収穫物をとりにきてくれないかな？」

ひ弱な人たちは、頭を横に振って、けだるそうに言いました。

「私たちはこのように弱いから、物を背負って山の上に戻れるはずがない。かわいそうに思って、どうか最後まで助けてくれよ。ぼくらはとってもいい友だちだろ？」

鋤を持つ人たちは、彼らが物憂げな顔をして、目に涙をためているように見えたので、気弱になって言いました。

「そういうことなら、やっぱり今までどおり、収穫物は私たちが山の上まで運ぼう。一日は力を振りしぼって畑を耕し、一日はあなたたちを助けよう。安心しなさい。心配する必要はないから。やることがなかったら、山の景色でも眺めていなさい」

でも、耕せる場所はどんどん減っていき、鋤を持つ人たちはますますひしめきあいましたが、収穫物がそのために増えるなんてことはありません。山の上に収穫物を届けて戻ってきたけど、ひどく疲れたために耕作の時期を逃してしまう人がいて、彼らが耕していた場所が荒れはててしまいました。他の人が自分のものを一部彼らに分け与えて、飢えないようにするしかありませんでした。

状況はますますひどくなり、みんなの土地が少しずつ荒れていきましたが、みんなはどうにか収穫物をやりくりして山の上に送り届け、ひ弱な人たちにもみんなと同じくらいの取り分を分け与えました。もともとおなかいっぱい食べていたわけでもないのに、重いものを背負ってこのようなけわしい山道をのぼったため、彼らは疲れはて、体は皮一枚しかないほどやせ細りました。顔にはしわが寄り、背中は丸まり、声もしわがれ、かすれてしまいました。彼らが昔は歌がうまく、ダンスも上手だったなんて、だれが信じるでしょうか？

おなかがへり、疲れたために、病に倒れて死にそうになる人もいました。彼らのやさしい母親はたえきれずに泣いて、その涙は同じように下へと流れ、水に浸かった場所へと向かいました。水に浸かった場所はどんどん広がり、風が吹くと、山のように高い波が立ちました。

やさしい母親は、荒れくるう波を見て、言いました。

「ここは海と呼ぶべきだわ。海の水がしょっぱいのは、これがみな私の涙と子どもたちの汗だからよ」

そのため、天気がよいときでも、海辺に行くといつでも、波がむせび泣き、悲しそうに訴えかけてくるのを聞くことができます。

以上が、地球にどうして山と海と平地があるかという物語です。「山の上のひ弱な人たちは今どこにいるのか」とあなたは聞くかもしれません。教えてあげましょう。彼らはあまりにひ弱だったので、それが子孫代々伝わって、身長がどんどん低くなり、今やもう私たちの目にははっきり見えないほどの大きさになっています。実際には、小さな草の根や木の皮が、彼らの居場所なのです。彼らは一代一代と小さくなり、いつの日か地球上から消え失せることでしょう。

一九二一年十二月二十五日

芳ちゃんの夢

　芳ちゃんは、お姉ちゃんが白や赤や紫や斑入りなどのホウセンカの花を、たくさんたくさん摘んで、細い糸でくくって、大きなまるいボールにするのを見ていました。お姉ちゃんは大きな花のボールを窓の前にかけ、それを見て、ひたすらニコニコしています。大きな花のボールはゆらゆらとゆれ、花弁がかすかに震え、恥ずかしがっているみたいです。

「このお花のボールは学生たちがけっている皮のボールと同じくらいの大きさだけど、窓の前にかけてどうするんだろう。ホウセンカが枝にこんなに大きい花を咲かせるといいなあ。そうすれば、それをけってボールがわりにできるのに。お姉ちゃんは見てただニコニコしているだけだけど、まさか花のボールが空の上まで飛んでいかないよね」

　芳ちゃんがこうぼんやりと考えていると、お姉ちゃんが彼に言いました。

「明日はママのおたんじょうびだけど、芳ちゃんはプレゼント何をあげるの？　見て、私のこの花のボール、すてきでしょ。私が花を植えて、摘んで、こういうふうに花のボールにしたの。ママが見たらきっと、『すごいじゃない、ママのこと愛してくれているのね』って言うにちがいないわ」

　芳ちゃんは考えました。

「お姉ちゃんがプレゼントするなら、ぼくももちろん、ママにプレゼントしなきゃ。ぼくのプレゼントはお姉ちゃんのよりいいものじゃなくちゃね。小さな猟犬はどうかな？　だめだめ、猟犬はママがぼくにくれたものだもの。ママに返すなんてできないよ。じゃあ積み木は？　だめだめ。積み木はおじさんがくれたものだし、ママが持ち帰ってきたんだから、ママにプレゼントすることはできない。じゃあ、ダリアの花は？　やっぱりだめだ。お姉ちゃんがホウセンカのボールだから、ぼくも花を贈ったら、お姉ちゃんのと重なっちゃう」

芳ちゃんはつらくなりました。お姉ちゃんがつくった花のボールを見ないように頭を下げ、小さないすに座って黙って考えました。林の中の香草はどうか、山の斜面にある小石、川のそばにいるカワセミ、小川にいる金魚はどうか、そして家の中のあらゆるもの、街の中のあらゆるもの、野外のあらゆるものを考えましたが、どうしてもママのおたんじょうびのプレゼントにふさわしいものを見つけることができません。彼はとてもめずらしく、またとないものを探し、ママにプレゼントしたかったのです。そうすればママに夢にも思わなかった喜びを感じてもらい、ママへの海よりも深い愛を表現できるのですから。

でもそういうものは、いったいどこにあるのでしょうか？

月はほんとうに早くのぼってきて、家の後ろのほうに隠れて、こっそり芳ちゃんを見ていました。庭の一角が明るくなり、垣根にからみついたルコウソウ（ヒルガオ科の植物）も輝いていました。昼間見たルコウソウは、まるでお姉ちゃんの新しい服のように、うすいグリーンの地にたくさんの小さな赤い花を散らしていましたが、今では色が変わり、すべてが銀色の光に塗られています。

芳ちゃんは月にこっそり見られていると感じて、思わず頭を上げて、言いました。

「月のお姉ちゃん、早く来すぎだよ。ぼくはママに、たんじょうびプレゼントを贈ろうと思っているんだ。とてもきれいで、めずらしくて、ママが夢にも思わなかったほど喜び、ママへの海よりも深いぼくの気持ちを示すことができるものでなきゃ、だめなんだ。頭のいい月のお姉ちゃんは、きっとどんなものか知っているよね？　ぼくに教えてよ！」

　お月さまはただ芳ちゃんにほほえむだけでした。彼女はどんどん近づいてきて、全身からまばゆい光を出しました。

　お月さまのそばにはうっすらと雲が浮かんでいて、軽くて白い服を身に着けていて、ひらひらとゆれ、まるで踊る女性のようです。お月さまがさみしくないように、つき添っているのです。お月さまの力が弱いのを心配し、彼女を支えているのです。

　芳ちゃんは悩みを雲に打ち明けて、お願いしました。

「雲のお兄ちゃん、あなたたちはお月さまといっしょに遊びにきたの？　ぼくはママにたんじょうびのプレゼントを贈ろうと思っているんだ。とてもきれいで、珍しくて、ママが夢にも思わなかったほど喜び、ママへの海よりも深いぼくの気持ちを示すことのできるものでなきゃ、だめなんだ。頭のいい雲のお兄ちゃんたちは、きっとどんなものだか知っているよね。教えてよ！」

　雲のお兄ちゃんたちは、月のお姉ちゃんをとりかこんで、藍色の空の上で踊りながら進んでいくだけです。

　芳ちゃんは、彼らはあまりに楽しく遊んでいるため、自分の話を聞いていないのだと思いました。そこで彼はいすを庭へ運び、いっそのこと座って彼らのダンスを見ようとしました。まず、月のお姉ちゃんがリズムの速いメヌエットを踊り、雲のお兄ちゃんたちがそれにぴったりと続き、軽くて白い衣をひるがえし、さらにすてきに見えます。そのあと、月のお姉ちゃんは疲れてしまったようで、空の真ん中に立ちどまりました。雲のお兄ちゃんたちは彼女をとりまいてゆっくりとまわり、衣がしだいに垂れさがってきました。

芳ちゃんは、この時を狙って、自分の悩みをもう一度言い、月のお姉ちゃんと雲のお兄ちゃんにアドバイスしてくれるよう頼みました。彼は空に注意して、月のお姉ちゃんと雲のお兄ちゃんがほんとうに自分の話を聞いているか確かめました。月のお姉ちゃんは笑みを浮かべて、近くを見ました。雲のお兄ちゃんはゆったりとした白いそでから手を出して、近くを指さしました。彼らのそばには無数の星がきらめいていました。彼らが指したのは、星だったのです。

芳ちゃんはとてもうれしくなりました。彼は分かったのです。「これこそいちばんすてきなプレゼントだ。月のお姉ちゃんと雲のお兄ちゃんは本当に頭がいいよ。お姉ちゃんはママに花のボールをプレゼントし、ぼくはママに星をつなげたネックレスをプレゼントするんだ。明日、ぼくが星のネックレスをママの首にかければ、ママの体からたくさんのキラキラ輝く光が出て、とてもきれいだろうな。よその家のママは真珠のネックレスや、宝石のネックレスをしていて、みんなこの世にあるものだ。でもぼくがママにプレゼントするのは、星のネックレスだから、とても珍しいよね。ぼくがこうしてネックレスをママの首にかければ、ママは当然夢にも思わなかったほど喜ぶにちがいない。ほかの人が思いつかなかったこんなプレゼントを、ぼくだけが贈るのは、ママへの愛が海よりも深いからだ」

芳ちゃんは月のお姉ちゃんと雲のお兄ちゃんにお礼を言い、彼らに言いました。

「あなたたちがずっときれいで、ずっと楽しく、ずっと笑い、ずっとダンスをしていられますように。そしてずっとぼくを助けて、ぼくが思いつかないことをすべて教えてくれますように」

このとき、芳ちゃんのお姉ちゃんも庭に涼みにやってきました。彼女は籐のいすを持ってきて、芳ちゃんのそばに座り、顔には笑みを浮かべていました。彼女はホウセンカのボールはとてもきれいなので、ママが見たらどんなに喜ぶかと考えていました。

芳ちゃんはお姉ちゃんの手を取り、軽く自分の顔にくっつけて、お姉ちゃんを見ながら言いました。

「ママへのプレゼントを思いついたよ。とってもすてきなんだ。お姉ちゃんのホウセンカより数百倍もいいんだ。今はまだないしょだけどね」

「どんなものなの、芳ちゃん。早く聞かせてよ」

「ないしょだよ。明日見れば分かるよ。これは目の前にも、遠く空の向こうにもあって、なによりもきれいで、だれも手に入れたことのないものなんだ」

芳ちゃんが言わないので、お姉ちゃんは当ててみるしかありませんでした。彼女は香草、小石、カワセミ、金魚、家にあるすべてのもの、街にあるすべてのもの、野外にあるすべてのものを、すべて一とおり言ってみました。芳ちゃんはただ笑って、首を振るだけです。お姉ちゃんはいらだち、両手を合わせ、教えてくれるように頼みました。

「芳ちゃん、頼むから教えてよ。だれにも言わないから。夜寝たときに、枕さんにも言わない。だから、早く教えて！」

「そんなに知りたいなら、まず、ぼくの言うとおりにしてくれる？ まず、縄跳びをしよう。縄跳びをしたら、教えてあげる」

お姉ちゃんは、芳ちゃんといっしょに縄跳びを始めました。お月さまの光が頭上からさしてきて、庭全体が銀色に光り、彼らも全身に銀の光をあびて、二人の短い影が地面にゆれ動きました。お姉ちゃんの髪がひらひらと舞いあがり、影がさらにすてきに見えました。彼らはまず、縄を前に向かって振り、そのあと、後ろに向かって振り、最後に二人いっしょに跳びました。四本の小さな足は、まるでツバメが水をついているみたいで、地面についたかと思うとすぐ離れます。縄は足の下をさっと通り抜け、ほとんど見えません。ふたりはまるで透明な大きな球に包まれているように見えました。

　お姉ちゃんは息をきらし、芳ちゃんも顔じゅうに汗を浮かべて、ようやくやめました。芳ちゃんは小さないすに座り、手で顔の汗をぬぐいました。お姉ちゃんはせかして言いました。

「芳ちゃんの言うとおりにしたから、もう教えてくれるでしょ。いったい何をあげるの？」

　芳ちゃんはお姉ちゃんの耳もとでささやきました。

「ぼくのプレゼントはお星さまをつなげたネックレスだよ」

　芳ちゃんは、真っ白なかやの中で、ぐっすり寝ています。顔にはほほえみが浮かび、規則正しい寝息がきこえます。彼はきっといい夢を見ているにちがいありません。

　彼は起きました。月のお姉ちゃんに起こされたのです。月のお姉ちゃんはうすい水色の服を着ていて、笑うと銀色の歯が見えます。芳ちゃんは彼女がとてもすてきだと思い、彼女の胸にとびこみました。月のお姉ちゃんは彼の背中をたたいて、言いました。

「ママにプレゼントすることを忘れていない？　私といっしょに行きましょう。取りに連れていってあげる」

　芳ちゃんは月のお姉ちゃんに感謝し、すぐ行こうとうながしました。月のお姉ちゃんが芳ちゃんの手を引くと、いっしょにふわっと浮きあがりました。地面から離れ、空中を歩いているのに、芳ちゃんの両足は地面をふみしめているようです。下を見ると、地上のすべてがぐっすりと眠りについていて、

見渡す限りに銀のおふとんがかぶさっています。月のお姉ちゃんを見ると、あわいブルーの服が風になびいて、ほんとうに仙女のようです。

芳ちゃんはどんどん足を進めましたが、まったく力を使っていないように感じます。星々は彼のそばにあって、一つ一つはライチくらいの大きさで、キラキラ輝いているので、目が少しチカチカします。彼は星の真っただ中にやってきていて、前後左右すべてが星です。果実がたわわに実る樹林に入ってきたようで、手を伸ばせば摘むことができます。自分を見てみると、星に照らされ、すきとおって見えます。彼はものすごくうれしくなって、手で星を摘みはじめました。

星は軽くて、ほとんど重くなく、摘むのも簡単で、一気に数百個を摘み、ポケットに入れると、たちまちいっぱいになりました。月のお姉ちゃんは彼にきれいなひもをくれ、星をつなげてネックレスをつくる手伝いをしてくれました。

こんなにきれいなネックレスは、世界に存在したことがなく、でも今は芳ちゃんの手の中にあります。彼はこのネックレスをママにたんじょうびプレゼントとして贈るのです。

芳ちゃんは心の中で、「ママに夢にも思わなかったほど喜んでもらい、海よりも深いママへの愛を表現できるにちがいない」と思いました。彼は星のネックレスを手に捧げ持って、家に飛んで帰り、門から入ると、大声で叫びました。

「ママ！　ママ！　どこにいるの？　プレゼントがあるんだよ。いちばんきれいなプレゼント、いちばん珍しいプレゼントだよ」

ママが走りでてきて、芳ちゃんを抱きしめました。芳ちゃんは両手を上げて、星のネックレスをママの首にかけました。言葉にできないほどすきとおった光がママの体から出てきて、ママは仙女になったのです。芳ちゃんも小仙人になったのでしょう。ママの顔に浮かぶ、慈愛にみちたほほえみを見て、芳ちゃんはうれしくて手足をばたつかせました。

芳ちゃんの手と足が動いたとき、夢から覚めました。ママはちょうど彼の枕元に横になっていて、顔に慈愛にみちたほほえみを浮かべていて、ちょうど芳ちゃんが夢の中で見たのと同じ表情をしていました。

一九二一年十二月二十六日

新しい時計

だれもが置き時計を見たことがあるし、懐中時計も見たことがあります。時計は私たちに、今何時で、もう起きる時間であり、今何時で、働く時間であり、今何時で、休みをとるべき時間であるということを教えてくれるものだということを、だれもが知っています。私たちはみんな時計が教えてくれるとおりに、すべてを規則正しく、あわてることなく、遅れることなく行うのです。

ぼんやり君には、時計にまつわるお話があります。彼は時計の使い方を知らず、多くのことにしくじり、たくさんの笑い話を生みだしました。ここで彼のお話をみなさんにお聞かせしましょう。

ぼんやり君が八、九歳になったころ、困ったくせを持っていました。いつも何をやるでもなく、黙ってぼんやりしているのです。東のほうに行くと、ずっと行ったまま。西のほうに立っていると、そのまま三時間立ちつづけています。とっくの昔に学校に行ったと両親は思っていたのに、後になって、何も言わず玄関にぼんやりと立っている彼を見つけたこともあります。あるとき、彼は机の上でつばをもてあそんでいて、夢中になって寝るのも忘れ、母親にベッドに入るようせかされたこともあります。このようなことが何度あったか分かりません。

彼の悪いくせは改まるどころか、ますますひどくなっていきました。あるとき、学校に行く途中で、彼は靴職人が靴底をつけているの見て、ご飯を食べるのも忘れて一日中そばに立って見ていました。両親は彼が家に帰ってこないので、人をやってあちこち探させて、ようやく彼を連れ戻しました。お父さんは、お母さんに言いました。

「あまりにひどい。ずっとこのままだと、勉強にさしさわるばかりか、将来家を出ても、ご飯を食べることすら忘れ、飢え死にしかねない。どうにかしないといけないな。いちばん大事なのは、彼にいつ何をするかを教えることだ。何かいい方法はないかな？」

お母さんは言いました。

「いい方法があるわ。彼のこの困ったくせは、そもそも時間というものが分かっていないためで、いつ何をすべきかを分かっていないからよ。私たちが彼に時間というものを教えれば、彼はいつ何をすべきか分かるはずよ。人に時間というものを教えるためには時計がいちばんだから、彼に時計を買ってあげましょう」

お父さんは、お母さんの言うことは一理あると思い、ぼんやり君に懐中時計を買ってあげました。とても美しい懐中時計で、外側は銀のようで、顔を映せます。文字盤は白磁でできていて、黒い字が書かれています。長いのと短いのと二つの針があって、ピカピカ光っています。その姿はまるいビスケットみたいで、ぼんやり君はそれを手にとると、口の中には入れられないけど、とても小さくかわいらしいと思いました。

お父さんはぼんやり君に、こう言い聞かせました。

「お前は時間というものが分からず、毎日やるべきことをやらずにいる。だから、お前にこの懐中時計をやろう。これはお前に今は何時かを教えてくれる。お前はこれが教えてくれる時間どおりに、やるべきことをやりなさい。この時間になったら学校へ行くんだ。この時間になったら家に帰るんだ。この時間になったら学校のおさらいをして、この時間になったらベッドに行って寝るんだ。よく覚えておけば、今までのようなまちがいをしなくなるだろう」

　お父さんはぼんやり君に、時計の6とか4とか5とか9とか書いてあるところを見せました。ぼんやり君はしっかり覚え、頭にたたきこみました。彼は時計を手に持って、表面をじっと見つめ、針が7の文字の上にあるのを見ると、すぐにカバンを背負って門を出ました。彼は途中、ずっと時計を見ていましたが、学校に着かないうちに、針はもう9の字を指しています。彼は逆向きに走って、家に着くとあわててカバンを背中に背負ったまま、ベッドに寝そべりました。彼は片手で時計を持ち、あおむけになって見ていると、その針はとても変で、動いているようには見えないのに、たえず位置を変えていて、まるで手品のようでした。

　その針が今度は4の字を指したので、「針が4の字を指したら家に帰りなさい」というお父さんの言葉を思いだしました。でも彼はもう家にいて、それもベッドの上に横たわっています。どこに帰ればいいというのでしょう？　まさかお父さんの言葉をまちがえて覚えていたのでしょうか？　彼は何度も何度も考えましたが、まちがえているはずはなく、お父さんは確かに、「針が4の字の上に来たら家に帰れ」と言いました。きっとこの時計がおかしいんだ。彼はすぐさまベッドから降りて、お父さんの仕事部屋に行きました。

　お父さんは彼を見て、変に思って、こう聞きました。

「お前の困ったくせはまだ直っていないのか？　時計をあげて、それを見て物事をするよう教えただろう。どうしてこの時間にまだ家にいるんだ？　私の話をもう忘れたのか？」

　ぼんやり君は言いました。

「ちがうよ、忘れていないよ。この時計がおかしいんだ。ぼくは針がここを指したから、すぐ学校に行ったんだ。そうお父さんは言ったよね？　でも、学校に着かないうちに、針はもうここを指していたので、ぼくは急いで家に走って帰り、寝たんだよ。これもお父さんが言ったとおりだよね。けど今、針はぼくが家に帰るべき時間を指している――いや、もう過ぎちゃったよ。今ぼくは家にいるのに、どこに帰れというの？　この時計がおかしくないのなら、お父さんの話がまちがっているんだよ」

　お父さんは、それを聞くと大笑いをして言いました。

「なんだ、お前は分かっていなかったんだな。お前は短い針の指すところを見て、私の言うとおりのことをしなきゃいけなかったんだ。さっきお前はまちがえて長針を見たんだね。さあ、行きなさい。もう時間に遅れてはいけないよ」

　ぼんやり君は、すべて分かったとばかりうなずきました。彼が急いで学校に行くと、授業はまだ始まっていませんでしたが、朝の体操は終わっていました。先生はぼんやり君にお説教しました。

「きみはほんとうに進歩したいとは思わないの？　なまけてさっぱり学校に来ないかと思えば、今日は来てもこんなに遅い時間だ。きみは朝の体操に出たことがなく、体を鍛えようとはしないけど、体は自分のものではないとでも思っているのか？」

　ぼんやり君は、今日はとても早く出てきたのに、時計を見まちがえたために、遅れてしまったのだと思いましたが、同級生に笑われるのがいやで、先生にそう言うことができませんでした。彼は教室に座り、教科書よりも百倍も熱心に時計を見つめました。短針がどんどん9の字に近づいていき、最後にとうとう9の字の真上に来ました。今度はぜったいにまちがいなく寝る時間で、家に急いで帰らなきゃいけないと思いました。

　ぼんやり君は先生に、すぐ家に帰らなきゃならないので、休ませてくださいと言いました。先生が理由を聞いたので、彼は家に帰って寝なきゃいけないと答えました。先生はあわてて、「気分が悪いのか？寒気でもするのか？」と聞きました。彼は首を振るだけです。先生は怒り、「気分も悪くないのに、こんな時間に家に帰って寝たいなんて、どういうことだ。帰るのは許さない！」と言いました。

　ぼんやり君はあせって泣き、雨のように涙を流しました。クラスメイトはそれを見て、みんな笑いだし、なかには「あいつは家におっぱいを飲みに帰るんだぜ。きっとママはもう、えりをゆるめてあいつを待っているんだ」とからかう子もいました。

　ぼんやり君はクラスメイトの言葉を聞くと、もっとはげしく泣きました。先生は彼が狂ったのか、あるいは心に何かわだかまりがあるのかと考え、必ず理由を言わせようと思いました。ぼんやり君は涙をふいて、しゃくりをあげながら言いました。

「お父さんがぼくに時計を買ってくれて、短針が決まったところを指したら、やるべきことをやりなさいと言ったんです。お父さんは、短針が９の字を指したら、寝る時間だと言ったんですが、今はもう９の字の上にあります。だから休みをもらって家に帰らなくちゃいけないんです。お父さんの言いつけを守りたいんです。先生が信じられないなら、ぼくの時計を見てください」

　彼がさしだした時計を見ると、確かにその短針はもう９の字を過ぎています。

　先生はそれを聞いて大笑いして、彼に言いました。

「なんだ、まだきみは分かっていないんだね。教えてあげよう。短針は一日に二回まわるんだ。真夜中からお昼までに一回、お昼から真夜中までに一回だ。だから、短針は午前と夜に一回ずつ９の字を指すんだよ。きみのお父さんが言った寝る時間は、夜に短針が９の字の上に来たときのことで、今ではないんだよ」

「そういうことだったんだ」

ぼんやり君はすべて分かったとばかりうなずきました。クラスメイトはまた大笑いし、授業が終わると、彼の後ろで何人かが、「あんなにバカなのに、時計を使わせるなんて」と言っているのが聞こえました。彼は聞こえなかったふりをして、一人壁のすみに立って、また時間に遅れないよう、こっそり手の中の時計を見ていました。

その日の午後、短針が４の字を指すと彼はすぐに家に帰り、５の字を指すとすぐに教科書を取りだしておさらいし、９の字を指すと両親に「寝る時間なので寝ます」と言いました。

両親は内心とても喜んで、「よかったね。お前の悪いくせが時計で直ったね。これからも時計を見て、やることをやれば、すぐによくなるだろう。さあ、お前は先に寝なさい」とほめました。

ぼんやり君はとても喜び、ベッドに横たわってひたすらニコニコしていました。ニコニコしながら彼は眠りましたが、その手にはまだ時計が握りしめられていました。

次の朝、彼が目を覚ますと、窓にはもう太陽がキラキラと輝いていました。もう起きていいのでしょうか。彼は手の中の時計を思いだしました。まだずいぶん早く、短針は今３の字を指したところです。６の字になるまで、まだ数字が２つあります。彼はベッドに横たわって、６の字になるまで待とうと思いました。

時計がまた変です。短針はずっと３の字を指したままです。どうやらこの３の字には魔力があって、短針を引きつけているようです。彼はずっと時計を見ていましたが、おなかがどんどんすいてきました。でも短針はまだベッドから出る時間になっていないので、待つしかありません。いつか短針は動くだろうと彼は思いました。

お母さんは彼が起きてくる気配がないので、ベッドまで見にやってきましたが、彼が目を開け、ずっと時計を見ているのを見つけました。お母さんは、「早く起きなさい、もうこんな時間よ。学校にまた遅れちゃうわよ」とせかしました。でも彼は「起きられないよ。ぼくは何をするにも時間を守らなきゃいけないから」と答えました。

お母さんはおかしく思い、彼がまだ寝ぼけているのだと思いました。でも彼の目はパッチリ開き、手の中の時計を見ていて、とっくの昔に目覚めているようです。なので彼に、「時間を守るなら、なおさら早く起きないと。じゃないと、二時間目の授業にも遅れちゃうわよ」と言いました。

ぼんやり君はそれには答えず、まだ手の中の時計を見ています。お母さんがもう一度たずねると、彼はようやく「見てよ、この短針はまだ6の字を指していないよ。6の字になったらぼくは起きることができるんだ。お父さんがぼくにそう言ったんだ」と言いました。

お母さんが時計を受け取ってみると、短針はたしかに3の字を指しています。思わず大笑いして、ぼんやり君に言いました。

「知らなかったのね。時計は止まっているわ。ねじをまくと、また動きだすのよ。ねじをまかなかったら、千年待っても、短針は6の字を指さないわ」

お母さんは、時計のねじをまき、二つの針の位置を正確に合わせ、時計をぼんやり君に渡しました。ぼんやり君は時計を見ると、今度こそほんとうにすべてが分かったことを示そうとして、ひたすらうなずきました。彼はすぐに起きて、準備をととのえ、学校に走っていきました。このとき、もう一時間目の授業は半分終わっていました。

この後、ぼんやり君はほんとうにぜんぶ分かりました。彼は自分でねじをまくこともでき、自分で速さを調整し、時間に正確になりました。彼は時計が教えてくれる時間どおりに、一つが終わったら次のことと、すべてを規則正しくするようになったのです。

一九二一年十二月二十七日

アオギリの実

たくさんのアオギリの実は、ほんとうに楽しく暮らしていました。彼らは青緑の新しい服を着て、みんなで窓台に立って遊んでいました。周囲には緑のシルクのような垂れ幕が張り巡らされ、風が吹くとひらひらと動いて、静かなお庭のようです。垂れ幕のすきまから、まっ青なお空も、空を飛ぶ鳥も、仙人の衣のような白い雲も見ることができました。夜になると、にこやかに永遠のほほえみを浮かべるお月さまも、おどけてまばたきをする星々も、白玉の橋のような銀河も、灯りをさげて行進しているようなホタルも見ることができました。彼らはとてもうれしくなって、軽やかに歌をうたいだしました。このとき、となりにいる柿もまた歌い、下にいる海棠も歌い、石段の下にいるコオロギも歌いました。歌うとき、だれかがそれに合わせて歌ってくれると、とてもおもしろいので、アオギリの実たちはみんな、とても楽しかったのです。

美しいものなら何でも好きで、いろんな楽しい歌をうたい、さらには窓台から離れて遊びにいきたいと思っているアオギリの実がいました。彼は鳥や白い雲、ホタルをうらやましく思っていました。彼らと同じように自分がそこらじゅうを飛ぶことができれば、きっともっとたくさんの美しいものを見ることができ、もっとたくさんの楽しい歌をうたうことができるだろうと思いました。窓台を離れることは難しくなく、ひとっ飛びで、出かけることができます。だから彼はお母さんに言いました。

「ぼくは遊びにいきたい。いろんなところを鳥や白い雲やホタルみたいに飛んで歩いて、もっとたくさんの美しいものを見て、もっとたくさんの楽しい歌をうたいたい。戻ってきたら、ぼくが見たことをみんな、お母さんに教えてあげるし、もっともっとたくさんの楽しい歌をうたってあげるよ」

お母さんは首を振り、体も数回ゆらして、やさしく彼に言い聞かせました。

「お前が旅に出たいと言うなら、行かせないわけじゃないけど、まだお前は十分に丈夫ではないので、もう少し待ちなさい」

彼はそれを聞き、黙ってしまいましたが、心の中はあまりゆかいではありませんでした。彼は自分では十分に立派で丈夫だと思っていたので、お母さんは彼を行かせたくなくて、体がまだ丈夫ではないということを口実にしたんだと思いました。彼はお母さんには言わず、ひとりでこっそり飛び立つことにしました。でも外に飛んでいくと、どんなたいへんなことがあるのだろう。ひとりで旅行して、仲間を探すことができるのだろうか。そう思うと急に恐ろしくなりました。そこで、彼は兄弟たちに言いました。

「鳥や白い雲、ホタルがうらやましくない？　もっと美しいものを見たくない？　もっと楽しい歌をうたいたくない？　ぼくといっしょに行けば、こうしたことがぜんぶできるよ。鳥や白い雲、ホタルと同じように、ぼくたちも、いろんなところを旅することができるんだ」

兄弟たちの性格は、みな彼と似たり寄ったりで、だれもが旅に出たがり、広い世界を見たがりました。彼らはみんな拍手をして叫びました。

「行こう！　みんなで行こう！」

彼らは褐色の旅行用の服に着がえ、窓台の下に立ち、準備をしました。このとき、緑のシルクのような幕は黄色になっていて、さらにはとても少なくまばらになっていました。太陽があまり熱くないからです。風がまばらになった幕の間から吹き寄せてきて、アオギリの実たちは風の力を借りて、みな窓台から離れようとしました。みんな体を数回ゆすりましたが、まだ窓台の上です。ただ一粒、まっ先に離れようとして、一人で飛び去ったものがありました。彼は自分が先頭に立って、兄弟たちを広い世界の旅へ連れていくと思うと、とてもうれしくなりました。

　彼は振り返りもせず、ただ前へと飛び、ときに高く、ときに低く飛びました。その後、力が弱くなったように感じて、初めて振り返り、兄弟たちに声をかけようとしました。おや、しまった。彼らはみんなどこに飛んでいったんだ？　彼はあわてて、体をまっすぐにして下へ降りました。頭がぼんやりし、どこに落ちたのか分かりませんでした。

　彼はしだいに意識を取り戻し、まわりを見渡しました。彼は畑のそばに落ちたらしく、十五、六の女の子が、畑で野菜の苗を植えていました。彼はようやく兄弟のことを思いだし、いつはぐれてしまったのだろうと思いました。今彼らを探そうとしても、簡単ではありません。もし探しだせなかったら、一人で旅をすることになり、ちょっとその勇気はありません。「彼らはきっと近くにいるにちがいない。やはり、飛んで探してみよう」。でも、彼は動こうにも動けないということを知らなかったのです。彼はあせり、泣きだしてしまいました。周囲を見渡しても、女の子がいるだけです。彼はその女の子がもしかしたら彼を助けてくれるかもしれないと考えました。

　彼は半泣きの声で、「おじょうさん、私の兄弟を見ませんでしたか？　彼らはどこに行ったのか、教えてくださいませんか、かわいいおじょうさん」と言いました。

その女の子はひたすら野菜の苗を植えていて、彼の声が聞こえていないようでした。六列植え終わると、彼女は畑のそばに置いておいた青い綿の上着を着て両手でボタンをはめたところで、地面に落ちているアオギリの実に気づき、拾いあげました。

女の子のやわらかく、あたたかな手の中にいると、彼はとても気持ちがよかったので、泣きやみました。「この女の子はほんとうにかわいい。彼女はきっとぼくの兄弟のいるところを知っていて、ぼくを彼らのそばに送り届けてくれるにちがいない」と思いました。

女の子は家に帰ると、彼を窓のそばのテーブルの上に置きました。彼は兄弟たちのところにやってきたと思っていたので、あわてて周囲を見渡しましたが、だれもいません。彼はまた心配になり、大きな声で、「おじょうさん、ここに私を置かないでください。私は兄弟たちを探さなくてはいけないのです。どうか私を兄弟たちのところに送り届けてください」と叫びました。

女の子は彼にかまわず、けんめいに服についていた土をはらい、それから窓の前に行き、彼をつまみあげると、指でもてあそびはじめました。彼はゆりかごの中にいるみたいに、体がゆさぶられて、とても気持ちがよくなりました。しばらくもてあそんだあと、彼を放り投げては手で受け止め、また放り投げては手で受け止めました。彼はふわっと浮きあがったかと思うと、下へと落ち、速いかと思うと落ち着き、これもとてもおもしろいと思いました。でも兄弟のことを思いだし、彼らが今どこにいるか分からないことを考えると、また落ち着かなくなりました。

女の子はお母さんが呼んでいるのを聞き、彼を窓のそばのテーブルに放りだして行ってしまいました。彼は女の子が行ってしまったので、希望がなくなったと思いました。当初、家の窓台の上に立っていたときには、家を離れたら、行きたいところに行け、とても自由だろうと思っていました。今のように自分の思いどおりにならず、動くに動けないのでは、いろんなところを旅するのはもちろん、お母さんに会いに家に帰るのも、兄弟たちのようすを聞くこともできません。彼はまったく何もできず、ただ弱々しい太陽の光に向かって、ため息をつくしかありません。彼は、「十分に丈夫になるまで待ちなさい」というお母さんの言葉を聞かなかったことを後悔しました。体が丈夫であれば、きっと自由にどこにでも飛んでいけるにちがいありません。でも今さら後悔しても、手遅れです。

窓の外からスズメが一羽飛んできて、テーブルの上にとまりました。首をかしげて彼の方を見ると、小さな二本の足で跳びはねて、「チュンチュン」と鳴きました。彼はスズメが兄弟たちのことを知っているかもしれないと思ったので、スズメに、「スズメのお兄さん、私の兄弟を見かけませんでしたか？彼らはどこに行ったんでしょう。どうか私に教えてください。かわいいスズメのお兄さん」と言いました。

スズメは首をかしげ、また彼をじっと見つめると、跳びはねて、また「チュンチュン」と鳴きました。どうやら彼の話が聞こえないようです。スズメはしばらく聞いていましたが、彼をくわえて、窓の外に飛んでいきました。

彼はスズメのくちばしの中で、体じゅうがとても湿っているように感じ、スズメは舌先で彼をなめ、彼をくすぐっているみたいでした。彼はのどが渇いていたのですが、体もむずがゆくなって、とても気持ちよくなってきました。彼は「スズメお兄ちゃんはとってもかわいい。彼はきっと私の兄弟たちがどこにいるか知っていて、私を彼らのところに連れていってくれるにちがいない」と思いました。

どういうわけか、スズメは口を開け、彼は空中から落ちてしまいました。

「しまった。また下に落ちちゃったぞ。でもこんどは前よりももっと高いから、地面に落ちたら命がないかも。お母さん！」

彼がそう思う間もなく、体が地面に落ち、彼はびっくりして気を失いました。

実際には彼はまったくケガもなく、ちょうど柔らかい泥の中に落ちていました。何日も春の雨が降り、何日も春の風が吹いて、彼は目を覚ましました。着ていたはずの褐色の旅行用の服はもうまとっておらず、緑色の新しい服に着替えていて、前よりももっと鮮やかです。近くを見てみると、みんな小さな草で、彼らもかわいい緑の新しい服を着ていました。新しいお友だちがいっぱいできて、彼はさみしくなくなりましたが、お母さんを思いだし、兄弟たちを思いだし、彼らが何をしているんだろうと思うと、心がしずんでしまいました。

彼はだんだんと大きくなり、周囲の小さな草たちは、もとは彼よりも大きかったのに、今では彼の足の甲を隠せるくらいの大きさでしかありません。彼の身長はとても高く、すくっと立ち、とてもかっこいい青年です。小さな草たちはみな彼をうらやましがり、彼にとても親切でした。彼らは「あなたは私たちのリーダーだよ。あなたがダンスすると、私たちもダンスし、あなたが歌をうたえば、私たちも歌うよ。でも残念なことに私たちは体があまりに柔らかいので、あなたのようにかっこよく見えません。私たちののどはあまりにか細くて、あなたほどいい声ではありません。でも、どうってことはありません。私たちの真ん中にはあなたがいて、あなたが私たちのリーダーだからです」と言いました。

彼は小さな草の好意に感謝し、できるかぎり彼らを守りたいと思いました。強い風が吹いたり、ひどい雨が降ったりしたときには、彼は小さな草たちをおおって守ってあげました。

ある日、一羽のツバメが飛んできて、彼の肩で休んでいました。ツバメは郵便屋さんなので、彼はひそかに喜んで、手紙を一通書いてツバメに渡し、こう言いました。

「ツバメのお兄さん、やさしい郵便屋さん、ここにお母さんや兄弟たちに宛てた私の手紙があります。でも彼らがどこにいるのか分からないのです。どうか私のために調べていただけますか？　もし分かったら、この手紙を彼らに渡して読むように言ってください。返事を持ち帰っていただければいちばんうれしいです。ありがとう。やさしいツバメのお兄さん」

ツバメはこころよく引き受け、手紙を持って去っていきました。一日もたたないうちに、ツバメは返事の手紙が入った大きな袋を背負ってやってきて、

「あなた宛ての手紙が来たよ。彼らはみなあなたに返事を書いてくれたよ」と言いました。

彼は言葉にならないほどうれしくて、ひたすらニコニコしていました。まずお母さんの手紙を開けて読みました。

「あなたのお手紙を見て、とてもうれしかったわ。私は元気です。あなたの兄弟もみんなあなたと同じく、別の場所に行きました。彼らはしょっちゅうお便りをくれるのよ。いいお知らせがあります。きっとあなたは喜んでくれると思うわ。あなたにまた、たくさんの弟たちができるの」

彼はまた、兄弟たちの返事も開いてみました。それはこのようなものでした。

「あの日、きみは一人であせって先に行っちゃったけど、それからしばらくして、ぼくもお母さんのも

とを離れ、今、庭園に住んでいるよ」

「ぼくはお母さんのもとを離れ、家の屋根の上に落ちたんだ。家を修理しにきた大工さんがぼくをはき落とし、今は庭に住んでいるよ」

「いちばんおもしろかったのは、ぼくが小さな女の子の口の中にいたときかな。一分間しかいなかったけどね」

「ぼくの新しい緑の服はとてもきれいだよ。きみの服は何色？」

「ぼくも将来子どもができると思うから、いつの日か、きみも甥たちに会いにきてね」

彼は手紙を読み終えると、とても安心しました。お母さんや兄弟たちはみな元気で、彼らを心配する必要はなさそうです。数日ごとに手紙を書いて、ようすを聞けばいいでしょう。ツバメは毎日来て、届ける手紙があるかどうか聞いてくれます。

彼はとても楽しく暮らし、今でもすくっとそこに立っていて、背たけはひたすら高く高く伸びています。

一九二一年十二月二十八日

旅行家

遠い遠いところにある星に、大旅行家が住んでいました。土星、木星、天王星、海王星をすべて旅したあと、家に帰って一年休んでいましたが、退屈になり、また旅に出たくなりました。そこで彼はカバンを持って家を出ました。どこに行こうか？　おもしろい場所を探さなくてはなりません。地球にはたくさんの人がいて、彼らはみんな頭がよく、いろいろな賢い方法を考えだし、いろいろな賢い道具をつくり、いい生活を送っていると聞いたことがあります。地球はきっとおもしろいところにちがいなく、行かないわけにはいかないと彼は思いました。そして、地球へ旅することに決めました。

旅行家はまず、地球に手紙を出し、旅行に行きたいということを地球の人に伝えました。地球の人はたちまち忙しくなり、盛大な儀式で旅行家を歓迎することにしました。なぜなら彼はとても遠い星からやってくるのですから、大切なお客様なのです。彼らは東の海のはしに、大きな大きな記念ゲートをたて、そこにいろんな色の花を挿して、緑の木の枝をそえることにしました。これが地球の玄関で、大切なお客さまにここから入っていただくというわけです。音楽を奏でることのできる人はみなここに集まり、ものすごく大きな楽隊をつくり、お客さまが着くなり、いちばんすてきな曲を演奏するのです。

旅行家は軽くて速い飛行船にのって彼の星を離れ、地球に向かいました。どれくらいの時間がたち、どれだけの空間を過ぎたのでしょうか。数えきれないほどの星の姿を見て、彼はようやく層雲を通りぬけ、地球の玄関の前、東の海のはしにやってきました。地球の出迎えの人がいっせいに喜びの声をあげ、楽隊がいちばんすてきな曲を演奏し、東の海の波の音を消し去りました。記念ゲートの花はほほえんでいるかのように軽くゆれ、大切なお客さまをお迎えすることを、知っているかのようです。

旅行家はとても楽しくなりました。「地球はたしかにおもしろい。この人たちはとてもすてきで、親しみやすく、とても賢い」と思いました。歓迎会が開かれ、地球の人は旅行家をいちばんいい旅館に案内しました。そして、旅行家にお供の人を一人つけました。この人は地球上のあらゆることを知っているので、旅行家は旅の途中で、いつでもたずねることができます。

食事のとき、旅行家が食べたのは最上級の料理で、とてもおいしく、量も多く、食べ終わらないうちに胃がはちきれそうになりました。近くの彼につきそっている人を見ると、まだ大きな口を開け、しきりに食べ物を放りこんでいます。これにはきっと理由があって、地球にはおいしいものがたくさんありすぎて、食べきれず、保存しておく場所もないのだろうと彼は思いました。だから彼らはできるだけ食べ、胃を大きくするのでしょう。旅行家はこうした訓練を受けたことがなく、胃がまだ小さいので、食べるのをやめ、立ちあがって散歩に行きました。彼のお供の人も彼の後ろについてきました。

旅館を出て、二回角をまがって、旅行家は狭い路地に入りました。両側にある家々でも、ご飯を食べているところです。彼らにはほとんどおかずがなく、目の前には塩豆がのった小さな皿があるだけです。旅行家はふしぎに思いました。彼らの胃袋は特に小さいのだろうか。それとも彼らはあのおいしいおかずを好きではないのだろうか。いくら考えても分からないので、「私たちは先ほど、あんなにたくさんおいしいものを食べたのに、どうして彼らは小さな皿にのった塩豆しか食べないんですか？」と聞きました。

お供の人は、おどろきの表情を浮かべました。この遠い星から来たお客さまは、すこし頭が悪いのではないかと思いましたが、彼が大切なお客さまであることを思いだし、うやうやしく答えました。

「彼らは私たちとはちがいます。あなたは初めてここに来たので分からないと思いますが、この路地に住む人たちはとても貧しいのです」

「貧しいとは？　貧しいと、小さな皿にのった塩豆で十分ということですか？　となると貧しいというのは、胃がとくに小さいことをいうのですか？」

「いいえ、ちがいます。貧しいとはお金がないことです。私たちの地球では、お金がないとものを手に入れられません。貧しい人はお金がないか、あってもすごく少ないので、彼らは質の悪いものを少しだけしか手に入れられないのです」

「よけいに分からなくなりましたが、お金とは何ですか？」

お供の人は、ポケットの中から、金貨を取り出し、旅行家に見せました。旅行家は金貨を受け取ると、片面を見て、ひっくり返して別の面を見て、それをくりかえしました。たしかにこれはかわいいおもちゃで、ピカピカで軽いです。でも彼はちょっと信じられませんでした。

「これは子どものおもちゃでしょう。おもしろいですね。でもこれが別のものと引き換えられるなんて信じられません」

「信じられないなら、引き換えてみせましょう。何かほしいものがありますか？」

旅行家は考えました。とくにいるものはないけれど、長い時間飛行船にのっていたので、シャツが少し汚れていて、新しいものに換えなければなりません。そこで彼は言いました。

「私はシャツが必要です」

お供の人は彼を連れて路地を出て、にぎやかな通りにやってきました。ある商店で、お供の人が金貨をお店の人に渡すと、お店の人はきれいなシャツを持ってきました。

お供の人は言いました。

「見てください、シャツと引き換えられたでしょう？　これは私たち地球でもっとも有名なシャツで、中国でとれるカイコの糸で織られたものです。軽くてやわらかく、手にとってもまったく重さを感じず、手の中に握りしめることもできます。着ると光沢があり、豪華で、そのすばらしさは言葉にできないほどです」

このシャツはたしかにすばらしく、旅行家はもちろんこれをとても気に入りました。でも、すぐに疑問がわきました。なぜなら、向こうからやってくる人が、大きな荷車を引いて、腰をかがめ、体をかぎのようにまげ、一歩進むごとに足を止めているのを見たからです。この人はぼろぼろの服を着ていて、汗だらけのうえに、ほこりまみれでした。なので、旅行家は聞きました。

「あの人の服はものすごく汚れていますが、どうして新しいのに換えないのですか？」

お供の人は言いました。

「彼も貧しいので、きれいなシャツに換えるお金など持っていないのです」

旅行家はまた聞きました。

「やっぱり分かりません。どうしてお金でものを引き換えなければならないのですか？　必要とする人が持っていって使ったほうが便利ではないですか？」

「私たちの地球ではそういったことはしません。どうしてか私には分かりませんが。ともかく、お金がなければどんな小さなものも、持っていくことはできません」

「持っていったら、どうなるのですか？」

「お金を持たずに、人のものを持っていくと、強盗やどろぼうになり、お役人がその人を閉じこめます。強盗やどろぼうを閉じこめる場所を監獄といいます。この地球上にはたくさんの監獄があって、中にはたくさんの強盗やどろぼうが閉じこめられています。こんど、あなたに見せてあげることもできます」

「彼らを閉じこめるのはたいへんじゃないですか？　彼らはその中に閉じこめられ、自由に動けず、苦痛じゃないのですか？　どうして彼らにお金をあげて、ほしいものに換えさせないんですか？　そうすればお役人も、監獄もいらなくなり、とても手間がはぶけますよ」

「自分のお金はみんな自分で使うので、だれも他の人にタダで分けてあげようとは思いません。さっき、あなたのためにシャツと引き換えたお金は、私のものではなく、国が出したものです。なぜならあなたは大切なお客さまだからです。あなたの食事、旅館、そしてあなたが必要とするものすべては、国がお金を払います。なぜかというと、あなたは私たちの大切なお客さまだからです」

「これはまた、どういうわけですか？　余分なお金を持っている人がいるなら、お金を持たない人に分けてあげて、必要なものに換えさせれば、みんなが気持ちいいじゃないですか」

お供の人は思わず笑ってしまいました。

「お金が余っている人も、とっておけばまた必要な時に使えます。どうして他人にタダで分けてあげるんですか。あなたはほんとうに、私たち地球の状況が分からないのですね」

「そういうことですか。分かりました」

お供の人は、旅行家を連れ、歩きつづけました。ある商店の店先に、いろいろな大きさの箱が置いてありました。旅行家はまた聞きました。

「これは何ですか？　遊ぶためのもの？　それともほかに何か使い道があるのですか？」

「いろいろ使えますよ！　必要なものをぜんぶこの中にしまっておけるんです」

「また分からなくなりました。あなたはさっき、必要なものがあれば、お金で交換することができると言っていましたが、それならば、必要なものがあればその場で引き換えればいいだけで、ものをしまっておく必要なんかないじゃないですか」

「あなたはやはり私たち地球の人間の考え方を理解していませんね。今いらなくても、この箱の中にしまっておけば、必要な時に取りだして使うことができます。お金が節約できるじゃないですか。自分では使わなくても、子どもたちのために残しておけば、お金の節約になり、そのお金で子どもたちは別のものを買うことができます。これが物をしまっておく理由です」

旅行家はうなずき、理解しました。でも、彼は地球に来る前のようなうれしさがなくなってきました。地球の状況はとてもおもしろいとはいえず、うわさがすこし信用できなくなりました。見たところ、地球の人はあまり頭がよいようには思えません。そうでなければ、お金で物を引き換えるなんておろかな方法を考えつくでしょうか。どうしてものをしまうために、箱みたいなバカなものを作りだすのでしょうか。どうして胃がふくれるまで食べる人もいるのに、ほとんどの人は小皿の塩豆しか食べられないのでしょうか。どうして中国のシルクでつくったシャツを着れる人がいるのに、ほとんどの人はぼろぼろの汚れた服しか着れないのでしょうか。彼は考えれば考えるほどおもしろくなくなってきて、これ以上見学する気がなくなり、すぐに飛行船にのり、自分の星に帰れないのを残念に思いました。

でも、地球の人は彼にとてもよくしてくれ、口ぐちに彼を「大切なお客さま」だと言います。もし彼らを助ける方法を思いつけば、彼らの好意にこたえることにもなると考えなおしました。そこで、彼はいろいろなところを見学し、地球の状況をすべて理解して、自分の星に帰ることにしました。そして帰る際に、「私はまた地球に来ます。あなたがたの盛大なもてなしに感謝しています。次に来るときには、よいプレゼントを持ってきますね」と言いました。

果たして間もなく、旅行家はやはり飛行船にのって、再びやってきました。東の海のはし、地球の玄関では、歓迎の声や音楽が前よりもさらに熱烈さをましていました。みんな旅行家がどんなプレゼントを持ってきたのか一目見ようとし、歓迎する人があまりに多いので、立っていることもできず、押しだされて海に落ちそうになる人もいました。

旅行家はプレゼントを取りだしました。それは、機械の設計図のようなものでした。彼は歓迎に来た人に言いました。「あなたたちにある機械のつくり方をお教えします。この機械で土地を耕すことも、いろんな道具をつくることもできます。つくるのも簡単で、使うのも楽です。試してみますか？」

「はい、ぜひお願いします！」

みんなはそう叫び、その声は潮のようにとどろきました。

旅行家は鉄工所にやってきて、職人に彼の設計図どおりにたくさんの機械をつくらせました。彼は地球の人にこれらの機械を田畑や市場の中に置かせ、使わせました。みんなが先を争って旅行家の機械をどのように使うかを見にきたので、田畑も市場も、人でいっぱいになりました。

旅行家が穀物の種を機械の中に入れ、スタートボタンを押すと、この機械はたちまちすごい速さで動きはじめ、三十秒もしないうちに、一畝の畑の種まきが終わってしまいました。彼がまた別の機械のボタンを押すと、この機械は林の中に入っていき、三十秒もしないうちに、たくさんの精巧なテーブルやいすをつくりあげました。

旅行家はみんなに言いました。「機械に何をやらせるのも、何をつくらせるのも、ざっとこんな感じです」

みんなは魔術師を見るように、ポカンと眺めていました。

ある田舎の少女はシルクの糸の束を持っていて、この機械がきれいな服をつくってくれるにちがいないと思いました。彼女は旅行家にそう頼みました。旅行家はシルクの糸を機械に入れて、スタートボタンを押すと、きれいな服がたちまちできあがり、軽くてやわらかく、色が鮮やかで、中国のシルクを使ったものと何ら変わりありません。田舎の少女はとてもうれしくなり、みんなも彼女と同じように、ニコニコと笑いました。彼らはひたすら歌いました。

新しい生活がやってきた！

新しい生活がやってきた！

旅行家は「機械に何か作らせるときは、スタートボタンを押せばいいだけです」と言いました。だれもが使えるようになりました。

ピアノがほしいという女性が機械のそばに行き、スタートボタンを押すと、ピアノができあがりました。彼女はピアノで美しい曲を弾きました。

きれいな服がほしい少年が機械のそばに行き、スタートボタンを押すと、きれいな服ができあがりました。彼(かれ)はそれを着て外に遊びに出かけました。

おいしい食べものがほしいおじいさんが機械(きかい)のそばに行き、スタートボタンを押(お)すと、おいしい食べものができあがり、それを味わいました。

楽しいおもちゃがほしい女の子が機械のそばに行き、スタートボタンを押すと、楽しいおもちゃができあがり、それで遊びました。

だれでも自由に機械のそばに行き、スタートボタンを押すだけで、ほしいものが手に入るのです。

地球の人はしだいにものを買うお金(かね)のことを忘(わす)れ、ものを入れる箱のことを忘れました。

一九二二年一月四日

大金持ち

子どもがまだゆりかごの中で眠っているときに、年長者が子どもに向かって、「子どもよ、お前たちはよく働いてつつましく暮らし、お金をかせぐ方法をひたすら考えなさい。お金は多ければ多いほどよく、お前の財布をいっぱいにし、箱をいっぱいにし、倉庫をいっぱいにすれば、お前は大金持ちになれる。世界でいちばんえらいのは大金持ちで、彼らがあらゆる権力を持つんだよ。世界でいちばん優雅なのも大金持ちで、彼らは何をする必要もなく、必要なものはすべてお金で買える。子どもよ、まずはよく働いてつつましく暮らしなさい。大金持ちになったら、お前は幸福になれる」と言い聞かせる風習のある地方がありました。これを子どもに言い聞かせる人を、みんながそろってほめたたえ、優れた大人だと言いました。

子どもたちが泣き、おっぱいを飲みはじめるころからこういう話を言い聞かせてきたので、彼らはこの教えをかたく信じ、素直に実行していて、おなかがすいたらご飯を食べ、のどが渇いたら水を飲むというような、当たり前のことのように思っていました。そのため、この地方には大金持ちがとても多かったのです。こうした大金持ちたちは、子どものころに聞いた大人の教えを思いだし、実に道理にかなっていると思っていました。実際に、目の前の事実がそれを証明していて、すべての権力が彼らの手の内にあり、彼らが高くて大きな家がほしいと思えば、それをつくってくれる人がいました。行きたいところならどこでも、かごをかつぎ、車を引いて連れていってくれる人がいました。大金持ちは何も自分でやる必要はなく、お金を出しさえすれば、食べたいものが食べられ、着たいものが着られ、思ったとおりの遊びができました。彼らはこのうえなく高貴で、安楽で、一日じゅう朝から晩までにこやかに、幸せに暮らしていました。彼らはみんなで集まり、互いを仲間と呼びあいました。彼らはほほえみを浮かべあいながら、今日はダンス、明日は会食と、バカか酔っぱらいかのように楽しく過ごし、たびたび声をそろえて、高らかに快楽の歌をうたいました。

ハハハ、私たちはみな金持ちだ！
ハハハ、神さまや仙人みたいに楽しいよ！
お金さえあれば何もしなくていい
のんびりと気ままに暮らしている
お金さえあれば何でも買える
極楽世界が目の前にある
私たちは大金持ちだ、みんな金はたっぷりある
ハハハ、神さまや仙人みたいに楽しいよ！

大金持ちは何もする必要がなく、食べるものも、着るものも、なにをするにも、お金を出しさえすれば事足りました。あらゆるものの生産も、もちろんまだ大金持ちになっていない人がやります。まだ大金持ちになっていない人は、一日中苦労して働き、大金持ちを見て、うらやましく思っていました。彼らは「大金持ちはたしかに高貴で、安楽だ。私はこれから倍の努力をし、早く彼らのようにならなければ」と思いました。彼らがゆりかごに寝ていたときから、大人たちがそのように言い聞かせてきたので、大金持ちはよい暮らしをしていて、大金持ちになりさえすれば、彼らもよい暮らしができるのだと思っていたのです。

ある日、一人の石工が大金持ちのために家をつ

くろうと、山に石を取りにいったとき、とつぜん、巨大な宝庫を発見しました。それはとっても広く、深く、すべてがピカピカの金塊でした。彼はとても喜び、「おれにも運が向いてきたぞ。こんなにすぐ大金持ちになれるとは、だれが予想できただろうか！」とひそかに思いました。彼はすぐ家に戻り、家族を全員呼び集め、力のある者には背負いカゴを、力のない者には手さげカゴを持たせて、いっしょに山に金塊を掘りにいきました。朝から晩まで働き、家族はみな疲れはてましたが、掘った金塊を数えてみると、いちばんの大金持ちをもう超えています。石工は「いまやおれがいちばんの金持ちだ。高貴で安楽な生活が明日から始まる。明日はもう働く必要はない。なんてうれしいことだ！」と思いました。

次の日、石工はもう金塊を掘りにはいきませんでした。なぜなら、彼はもういちばんの大金持ちになったからです。この話は他の人の耳に入り、だれもがこれが大金持ちになるいちばんの方法だと思いました。そして、だれもが自分の仕事を放りだし、一家総出で山に行き、金塊を掘りました。みんな疲れもかえりみずに金塊を掘りつづけ、いちばんの大金持ちを超えたところでようやく手を止めました。みなたっぷりと金塊をため、だれもが自分がいちばんの大金持ちだと思いましたが、鉱山の金塊はまだ十分の二、三くらいしか減っていませんでした。

わずか数日で、その地方の人はみな大金持ちとなり、大金持ちは例のごとく働く必要がなく、それはとても幸せなことなのですが、今までになかったおかしなことが起こりました。新しく大金持ちとなった人たちは、自分は大金持ちになったのだから、豪華な服を何枚も買って、大金持ちらしい姿にならなければと思いました。そこで、彼らは金塊がいっぱいにつまった袋を持って、服屋さんに服を買いにいきました。その服はとても立派で、以前は窓ガラス越しに中をちらっと見ることしかできませんでしたが、今ではおおいばりで中に入っていけます。自由に気に入ったシルクの服を選ぶことができるなんて、とても威勢がいいではないですか。彼らはますます得意になりましたが、おどろいたことに、服屋さんの入り口に着くと、お店はお休みで、もう服は売らないと言うではないですか。実は、その服屋の主人もたくさん金塊を掘ったので、最近大金持ちになったのです。その一家はちょうど、もともと売りものだったぜいたくな服を着て、かごかきを数人呼んで、かごにのって、一家総出で劇場に行くところだったのです。

　大金持ちになっても、金持ちらしい服を買えず、みながっかりしました。いくつもの服屋さんをまわってもみな状況はいっしょで、店主が金持ちになったので、もう商売をやろうと思わなくなったのです。大金持ちたちは考えました。服屋がみんな店をやめたのなら、既製服は無理だろう。ならば紡績工場に行き、気に入った布地を切ってもらい、徹夜で服にしたててもらえばよいではないか。そこで彼らはこぞって紡績工場へと向かいました。でも、紡績工場の門の前はひっそりとしており、門番もどこかへ行ってしまっていて、いままでゴウゴウと音をたてていた機械の音も聞こえません。今まで高い煙突からもくもくと黒い煙が上がり、空が黒く染まるほどでしたが、今はきれいな空が見え、煙突の上にたくさんのスズメが羽を休めていました。彼らは布地を買えなかったので、お針子さんを探して何か方法がないか考えてもらおうと思いました。豪華な服が手に入りさえすれば、金塊をどれだけ使ってもかまいません。でも、お針子さんは笑って言いました。

「私もみんなと同じで、新しい服をつくろうと思っていたの。今どき金塊をありがたがる人なんていないわよ。私も大金持ちになったから、私のきんちゃくにも、箱にも、倉庫にも、金塊がうなっているわ」

　このときになってようやく、彼らは豪華な服を着ることができないということを確信しました。大金持ちになっても、大金持ちのような格好ができないので、おもしろくありません。でもきんちゃくも、箱も、倉庫も、キラキラする金塊でいっぱいで、これを見ているとうれしくなり、彼らはみな、「新しい服は着られないけど、こんなにたくさん金塊があるのだから、大金持ちにはちがいない」と自分をなぐさめて言うのでした。

　彼らがまったく予測していなかった、もっと大きなパニックが続けてやってきて、大金持ちはみんなもはや笑っていられなくなり、泣く気力すらなくなりました。彼らの家にたくわえてあった食べものがなくなったのですが、いつもなら、金塊の入ったきんちゃくを一つ持って、食糧店に行って買えばいいだけでした。ところが意外なことに、食糧店の店主もちょうど金塊を持って、別の店に食糧を買いにいこうとしていました。彼の家の食糧を食べ終えてしまったからです。「みんないっしょに行こうよ」と言って、何軒のお店をまわっても、状況は同じでした。道連れはどんどん増えていき、重い金塊を持ってあちこち歩きまわり、みんなゼイゼイとあえいで、汗だくになり、服が濡れそぼっても、営業している食糧店を見つけることができませんでした。

　とつぜん、ある大金持ちが言いました。

「農民を探しにいけばいいんだ」

　それを聞くと、みんな夢から覚めたようになり、声をそろえて、「そうだ、農民を探そう。食糧は農民がつくるんだから、農民を探し、大元を探しだせば、きっと食糧を買うことができるにちがいない。みんなで行こう！」と叫ぶと、みんなは両足に力をこめ走りました。彼らは農民を探し当てられれば、食糧が手に入ると信じていたのです。

彼らは田舎まで走ってやってきて、農民を探しだし、「すばらしき農民さま、私たちは食糧を買いたいのです。いくらでも金塊を差しあげますから、どうか数を言ってください」と言いました。

農民は笑って首を振りました。

「私もあなたたちと同じで、農民を探して食糧を買おうとしていたんだ。今はもう私は農民ではなく、食糧をつくっていないよ。私も大金持ちで、金塊を持っているんだ！」

農民はそう言うと、みんなといっしょに歩きはじめました。食糧を買おうとする人はますます増えて、彼らはあちこちを歩きまわって、ししゅう針一本でも探し当てられるほど懸命に探しましたが、食糧を売ってくれる農民はいませんでした。

みんなはもう食糧は望みがないとさとり、雑穀でもいいから探してみよう、腹がへってどうしようもないと思いはじめました。彼らは畑に一目散に散っていきました。畑には、まっすぐに立ったトウモロコシや、地面をはうサツマイモなど、びっしり作物が植わっていました。しかし農民はみな大金持ちになり、金塊をたくさん持ち、高貴で安楽な生活をしようとしていたので、もう何日も水をやったり、雑草を抜いたり、虫を退治したりしていませんでした。そのため作物は枯れたり、ボロボロになったり、虫がついたりしていて、新鮮で、飢えを満たせるようなものはまったくありませんでした。みんなこのときになってようやくほんとうにあせり、涙を雨のように流しました。そして袋の中の、硬く、冷たく、ピカピカ光る金塊をさすり、涙をしのんで、無理に笑い、互いになぐさめあって言いました。

「食糧がなく、おなかがすいてつらくても、私たちには金塊がある。私たちはみんな、なんといっても大金持ちになったのだから」

　大金持ちはみんな、おなかをすかせて、ひどいありさまとなりました。彼らは金塊がつまった袋を枕にし、手に小さな金塊を持って口に入れてかもうとしましたが、もう全身の力がぬけ、身動きすらできませんでした。それでも、彼らはのどの奥からかぼそい蚊のなくような声を出し、幼いころから大人に言い聞かせられてきた「大金持ちになれば、幸福になれる」という教えを唱えていたのでした。

一九二二年一月九日

コイの受難

澄んで底まで見とおせる小川がコイたちの家です。昼間、金粉のような太陽の光が川面を照らし、細くやわらかな波紋はまるで薄くて軽いシルクの布のようです。この薄くて軽いシルクの下でコイたちはとてものどかな日々を過ごしています。夜になると、藍色の空が川面をおおい、小川の中のあらゆるものが眠りにつきます。コイたちも眠り、夢さえもとても甘く、銀の皿のようなお月さまや宝石のような星々が、空で彼らを見守っています。

コイたちは恐ろしい目にあったことはなく、恐れを知らず、身を守ることも、逃げることも知りません。ゆっくりと泳ぎまわり、とてものんびり、楽しく過ごしていました。ときにはみんなでウキクサの取りあいっこをし、ひれを動かし、尾っぽを振って上に跳びはねて、先頭にいるコイがウキクサをくわえ、川の底にもぐっていきます。別のコイはみんな頭をぶつけ、パシャという音をたて、川面にしぶきが上がります。間もなく、音がやみ、しぶきが散り、川面はまた静かになります。コイはこのように静かな生活を送っていました。あなたが川岸に立っても、コイたちの存在に気づかず、川の中には彼らがいないも同然でしょう。

コイのよいお友だちは、真っ白なハクチョウと五色のオシドリです。彼らはどちらも泳ぐことができ、小さな船のように川の上に浮かんでいます。毎年秋になると、北のほうから飛来し、小川のコイたちに会いにきて、おもしろい旅の話を聞かせてくれます。コイたちは新たに覚えたダンスをハクチョウとオシドリに見せてあげます。彼らはとても喜び、毎日の生活を新鮮に、とてもおもしろく過ごしています。だからコイたちは、太陽と月とお星さまが照らす場所はすべて、彼らの小川と同じように静かで、よい友だちがいて、すてきな生活を送ることができ、おもしろいことがいっぱいあると信じています。

　大きなコイは小さいコイにその信念を伝え、コイのお兄ちゃんはコイの弟に伝え、コイのお姉ちゃんはコイの妹にそれを伝えます。「それはいいお話だ。ぼくらのこの川はたしかにそのとおりだ。ぼくらのこの川は太陽と月とお星さまに照らされていて、だから太陽と月とお星さまが照らす場所はみんなぼくらのこの川と同じだ。世界はなんて楽しんだ！　ぼくらはなんて幸せなんだろう。こんな楽しい世界で生きているなんて」とみんなが言います。この言葉はほとんどコイが世界を賛美する歌のようなものです。太陽が沈みかけてそよ風が吹き、川面がまるで天国のように見えるときや、月がようやくのぼり、星々が輝き、薄暗い夜景がまるで仙人の住む世界のようになったとき、コイたちはこの賛歌をうたいだし、彼らの幸せな生活を喜ぶのでした。

　その日はいつもと何も変わりなく、川に一艘の小船がやってきました。子どもたちをのせた船がいつもここを通り過ぎるので、コイたちはまったくふしぎに思いませんでした。子どもたちはコイたちを見つけると、いつもきれいな小さな顔を船のへりにくっつけて、小さな手を振り、彼らにあいさつをし、にこにこしながら「コイさんたち、おいで、おいで、マントウを食べさせてあげる。クッキーをあげる。おいしいものがたくさんあるよ。コイさんたち、おいで、おいで」と言います。するとコイたちは水面に浮かびあがって、子どもたちといっしょに遊ぶのでした。

コイたちは小船を見ると、子どもたちが来たものと思い、いつもどおり、楽しげに水面に浮きあがってきました。しかし今回は、小船の上に子どもたちの姿はなく、櫂をこいでいるのは、見たこともない人で、船べりには十数羽の黒いカワウが休んでいて、頭を上げて空を見ていました。コイたちは、カワウは昔からの友だちではないけれど、カワウの仲間たちのオシドリやハクチョウはみんないちばんの友だちだから、カワウともきっとお友だちになれると思いました。お友だちが初めてここに来たからには、当然ねんごろにもてなさなくてはなりません。

コイたちはそう考え、歓迎の気持ちをこめて、言いました。

「知りあいではないお仲間がた、ようこそここへ。ちょっと休んでいってください。私たちはハクチョウやオシドリと古くからのお友だちで、あなたたちともすぐにお友だちになれると信じています。未来のお友だちよ、どうか船べりで休んでばかりいないで、水面にやってきて、お話をしましょうよ」

コイはとてもていねいに招待し、みな顔を上に向け、お客さんが水に降りてくるのを待ちました。

船べりのカワウたちは空を見るのをやめました。彼らはコイの招待を聞くと、川の中を見て、羽ばたいて、ポチャン、ポチャンと水の中に飛び降りました。コイを見るなり、口にくわえて船の上に飛びあがり、木桶の中に吐きだしました。十数羽のカワウが上ったり下りたりして、小川にはいまだかつてない騒ぎが起こりました。コイたちはようやく恐れを感じ、命からがら逃げだし、川の泥の中にもぐりました。とつぜん態度を変えた見知らぬお客さんに、彼らはおびえ、全身をブルブルふるわせました。

間もなく、小船はこぎ去り、水音も水しぶきとともに消え去りました。おびえたコイたちはようやくこっそり泥の中から出てきました。小川はいつもの静けさを取り戻しましたが、コイの心の中は恐れと心配でいっぱいでした。多くの仲間たちがとつぜん態度を変えた見知らぬお客さんに連れ去られたのを見て、みんな思わず涙を流しました。見知らぬお友だちはまた来て、また仲間たちを連れ去るのでしょうか。だれもが危険の中にいて、かつ、つねにその危険に直面しているのです。ハクチョウやオシドリたちの仲間が強盗であるなんて、だれが考えるでしょうか。世界にはこのような思いがけないことがあるのです。こうして、コイたちに新しい信念が芽生えたのです。彼らの小川は今や変わってしまい、地獄と同じような恐ろしいところになってまったと。太陽、月、星々が照らす場所はどこでも、静かで美しく見えても、実際にはどこも彼らの住む小川と同じように、恐ろしい地獄なのです。

大きなコイたちはこの新しい信念を小さなコイたちに伝え、コイの兄さんはコイの弟たちに伝え、コイのお姉さんはコイの妹たちに伝えました。みんなこう言いました。

「確かにそのとおりだ。ぼくらのこの川はもう変わってしまった。そうじゃなければ、ぼくらがこんなにていねいにお客さんを迎え入れたのに、どうしてお客さんは逆にぼくらの仲間を連れ去ったのか？ぼくらのこの川は変わったのだ。他の場所もとっくに変わっているのかもしれない。世界じゅうが変わっているのかもしれない。こんな恐ろしい時代になるとは、いったいぼくらが何をしたというんだろう！」

こうした言葉は、コイたちの今までのすばらしい生活を懐かしむ哀歌になってしまいました。

木桶の中のコイたちはどうしているのでしょうか。木桶の中にはわずかな水があるだけで、コイたちは体の半分を水につけていることしかできません。彼らはカワウにくわえられて、おどろきのあまり気を失い、木桶に入れられたことも知りませんでした。後になって何匹かが意識を取り戻し、上を向いた体の半分が乾いてとてもつらいと思いました。彼らは片方の目で空を見るしかなく、見える世界はまったく様変わりしてしまっています。ヒレを動かし、尾っぽを振ってみましたが、何の役にも立たず、体の半分は桶の底についたままです。今日どうしてこんなことになったのか、いまどんな場所にいるのか、まったく分かりません。ただ木の板の壁が見え、さらに自分と同じように動けずに横たわっている仲間が見えるだけです。彼らはお互いに「今どこにいるか知っている？」とたずねあいました。

　みんなの答えはまったくいっしょで、「ぼくにも分からないよ。ただ木の板の壁が見え、きみと同じように動けない仲間が見えるだけだ」というものでした。

「これはほんとうにおかしな場所だ」

　あるコイは嘆いて言いました。

「まわりはぜんぶ壁で、十分な水もない。身動きすらままならないし、このままでは命もあぶない。ぼくらはもう家には戻れないし、仲間にも会えないかもしれない」

　小さなコイは目を閉じました。上を向いたほうの目が乾いて、かすんできたのです。そして、言いました。

「まだよく分からないんだけど、どうしてぼくらはこんなおかしな場所に来てしまったんだろう。夢でも見ているのかな」

　細長いコイが尾っぽで桶の底を叩き、乾いてかすれた声で言いました。

「思いだしたぞ。きみたちは覚えていないのかい？ぼくらの小川に船がやってきたとき、船べりには黒い服を着たお客さんがたくさん休んでいて、ハクチョウやオシドリと同じように長い羽を持っていたんだ。ぼくらは彼らを歓迎したよね。彼らは水の中

に飛んできたんだ。一人のお客さんがぼくを口にくわえたことを覚えているけど、その後どうなったかは、はっきり覚えていない。きっと、あの黒い服を着たお客さんがぼくらをここに連れてきたんだ」

あの小さなコイが続けて言いました。

「じゃあ、きっとぼくらは夢を見ているんだ。こんなことがありえるかい？　お客さんを歓迎したら、そのお客さんがぼくらをこんなひどい場所に連れてくるなんて」

別のコイが悲しげに言いました。

「夢でも夢でなくても、いまぼくらはみんな乾いて苦しんでいる。動きたいけど、ヒレも尾も使えない。この苦しみをどうにかする方法を考えなきゃ」

コイたちはそこで方法を考えはじめました。「この木の板の壁を打ちこわせばいいんじゃない？」と言う者もいれば、「川から水をくんでくればいいんだ」と言う者もおり、「もう少しがまんすれば、そのうち苦しくなくなるかも」と言う者もいました。三つの方法が出ましたが、三つの方法のどれもすぐに仲間たちに否定されました。

「動けないのに、どうやって木の板の壁をこわすの？」

「水をくんでこれればいいけど、だれがくみにいくの？」

「がまんはまずいよ。水もないのにここに横たわっていれば死んでしまうだけだ」

もう別の方法は思いつきません。ただため息をついて横たわるだけで、ヒレや尾を動かす気力すらありません。底の桶にはりついているほうの目には暗やみしか見えず、空を向いているほうの目は、にっくき木の板の壁と、運命を共にするかわいそうな仲間たちしか見えません。彼らはまた議論を始めました。

「お客さんがぼくらの家に来たとき、いつもこうやって歓迎していたのに。今回こんなふうにだまされるなんて、だれも予想できなかったよ」

「ぼくらのせいではないよ。黒い服を着た強盗も長い羽を持っていたよね。彼らがハクチョウやオシドリと同じように善良で、同じようにぼくらの好意を受け取ってくれると思っていたんだ。彼らがこんな悪いやつだなんて、思ってもみなかったよ！」

「ぼくらをここに留めておいて、彼らにどんな得があるというんだ？　みんな仲良く礼儀正しくしていたほうが、ずっといいじゃないか」

「世の中にこんなことがあるなんて、まったく世界の恥だよ。ぼくらはこのあいだまで、楽しさに満ちていると世界をほめたたえていたのに。今ようやく分かったよ。世の中にはほんとうは悲しみと苦しみもあったんだ。ぼくらはこの世界をのろうべきだね」

「まったくだ！　ぼくらは小さなコイに過ぎないし、のどがかれてカラカラだ。だけど、ぼくらの声はきっとあらゆる狂風を呼び起こし、世の中の悲しみと苦しみをぜんぶ吹き飛ばすことができるにちがいない」

「そうだ、そうだ。ぼくらにはまだのろう力が残っている。みんなでのろおう。この木の板の壁をのろおう、外を見えなくしているこの壁を！　黒い服を着た強盗をのろおう、ぼくらの好意を受け取らず、だました強盗たちを！　この世界をのろおう、この木の板の壁と黒い服の強盗のいる世界を！」

　みんなはいっせいに、のろいはじめました。のろいの声の中には、ため息も、深い苦しみと悲しみもこめられていました。

　どれだけの時が経ったのでしょう。おかしなことに、コイたちは少しうるおいを感じました。まさか強盗たちが後悔し、自分たちがまちがったことをしたと思い、わざわざ水を入れて彼らを助けてくれたのでしょうか。まさか、木の板の壁が壊れ、外から水がしみこんできたのでしょうか。みんなであれやこれやと言いあっていると、賢い小さなコイが、気がつきました。

「強盗がぼくらを助けにくるはずがない。木の板の壁も自然に壊れるはずがない。ぼくらがひからびて死ななかったのは、自分で自分を救ったからだ。みんな分からないの？　ぼくらを湿らせているのは、自分の涙だよ。涙はぼくらの心の底から湧きでて、まわりまわって目の中に流れてきて、一滴また一滴と流れでて、それが千滴、万滴となり、自分たちの横たわっている場所にたまり、自分の体をぬらし、今にもひからびて死にそうだった命を救ったんだ！」

小さなコイがこう言うのを聞き、みんなは自分の体を湿らせているのはたしかに自分の涙であると気づき、感動を覚えました。彼らは、こののろうべき世の中で、自分の涙によって自分を救うことができるなんて、この世にはもはや楽しさの芽もないとは言えないと思いました。このように考えると、みんな心が和らいで、涙が泉のように目から湧きでてきました。

すると、おかしなことに、コイたちは動けるようになりました。今まで身を横にしていることしかできなかったのに、今では身を立てて泳ぐことができるのです。木の桶の中の水はどんどん多くなり、その水はコイたちの心の底から流れでる涙なのです。

コイたちの涙はとどめもなく流れ、木の桶をいっぱいにしました。木の桶からあふれだし、船の中に流れだしました。まもなく、船の中も涙でいっぱいになり、木の桶が浮かびあがりました。小船はしだいにかたむき、木の桶は小川の上にただよいだしました。

コイたちは水を得て、元気に泳ぎはじめました。

でも、泳いでも泳いでも、木の板の壁にさえぎられてしまいます。どうしましょう？　水があっても自由にはなれないのでしょうか。あるコイが力をこめて跳びあがり、木の板の壁から跳びだして、まわりを見てみると、細く柔らかな波紋が薄くて軽いシルクの布のように広がるのを目にし、これこそ愛しきわが家であると気づきました。彼はとてもうれしくなって叫びました。

「みんな、跳ぶんだ。このウンザリする木の板の壁を飛び出せば、ぼくらの家だぞ！　もう家に着いたんだ！」

みんなはその喜びの声を聞き、あらゆる力を振りしぼって木の板の壁から跳びだしました。木の桶は空となり、川の上にぷかぷかと、どこかへただよっていきました。

家に残っていたコイたちはみんな、災難にあった仲間たちを迎え入れ、たくさんの感動の涙を流しました。ハクチョウとオシドリもちょうど北からやってきて、仲のよい友だちと会えたため、思わずさらにたくさんの感動の涙を流しました。そのため、この川は永遠に枯れることがないのです。

一九二二年一月十四日

涙

地球の上の、太陽と月と星々が照らす場所で、なくしものを休みなく探している人がいました。彼はどんな場所も探しまわりました。草の根もと、排水溝の中、道路に舞いあがる土ぼこりの中、いろんな方向から吹き寄せる風の中など、あらゆるところを探しました。でもどこにも彼の探しているものはありません。彼は松林のため息よりももっと悲しいため息をつきました。

「私の探しものはどこにあるのだろう。いったいどこなのか？」

陽気な人がそれを聞き、彼のところにやってきて聞きました。「きみは宝石でもなくしたの？　どうして草の根元まで探しているの？　水銀でもなくしたの？　どうして排水溝の中を探しているの？　貴重な辰砂（赤色の顔料となる鉱物）でもなくしたの？　どうして土ぼこりの中まで探しているの？　外国の粉おしろいでも探しているの？　どうして風の中を探しているの？」

彼は首を振り、またため息をついて言いました。

「ちがいますよ、そんなものをなくしたんじゃないんです」

「じゃあ、きみはきっとバカにちがいない」

陽気な人は満面に笑みを浮かべていいました。

「そういったもの以外に、探す価値があるものなんて何があるっていうんだい？　早く家に帰って休みなよ。どうでもいいことに無駄な力をついやす必要はないよ」

彼は答えて言いました。

「私が探しているのはどうでもいいものじゃないんです。あなたの言う、そういったものとは比べものになりません。毎日、いたるところを探しているのですが、影も形もありません。あなたに教えてあげましょう。私は涙を探しているんです」

陽気な人は大笑いし、笑いが止まらず、ようやく笑いをおさえて彼に言いました。

「涙？　涙を探すために、そんなに苦労しているの？　私は涙を流したことはないから、涙が体のどこから出てくるかも知らないけど、おろかな人たちが、目の縁から涙を出しているのを見たことがあるよ。彼らの涙が落ちた場所で涙を探せば簡単じゃない？　涙がほしいなら、鉄道駅や波止場で探すといいよ。そうした場所にはたくさんの老若男女がいて、彼らの心は何かに押しつぶされているようだから。互いに繰り返し繰り返し同じことを言い、永遠に話がつきないみたいで、彼らはどの瞬間も永久に終わらないことを夢見ている。手をしっかりにぎりあって、腕と腕を組んで、くちびるとくちびるを寄せあって、べったりとくっついて、もう分けることができないみたいだ。とつぜん、ボーッと汽笛が鳴り、そのささやきが中断され、夢から覚めて、べったりくっついていても離れざるを得なくなる。そして涙が泉のように湧きでるんだ。見てるととてもおかしいよ。そういった場所を探せば、彼らの涙を探しだすことができるにちがいないよ」

「私の探しているのは、そういった涙ではないのです」

彼は答えました。

「そうした恋いしたう涙はたくさんあり、探すのは難しくありません。もしそういった涙が必要なら、とっくに駅や港へ行っていますよ」

陽気な人はうなずいて言いました。

「そういった涙じゃないなら、じゃあ、ゆりかごの中やお母さんの胸元を探すといい。赤ちゃんはすごくおもしろいよ。赤い柔らかなほっぺをし、薄い茶色の髪は細くて柔らかく、黒い瞳が輝いていて、彼らはとつぜん『ワーッ』と泣きだし、すぐに泣きやむんだ。彼らの涙はさっき言った人たちのようには多くないけど、あなたの求めるものには足りると思うよ。早く探しにいきなよ」

「私の探しているのは、そういった涙ではないのです。そういった幼い涙はどの家にもあり、探すのは難しくはありません。もしそういった涙がほしいなら、とっくにゆりかごの中やお母さんの胸元を探していますよ」

陽気な人は言いました。

「赤ちゃんのでもないのなら、じゃあ、劇場の舞台で探せばいい。そこではそもそもありえないような、しっちゃかめっちゃかな悲劇がしょっちゅう上演されているよ。夫に死なれた女性とか、大将が戦にやぶれて自害するとか、愛しあう男女が別れざるを得なくなるとか、役者たちはいちばん悲しいシーンが来たとばかり、大声で泣き叫んだり、すすり泣いたりしているよ。本物であろうとにせものであろうと、彼らは泣いているんだから、涙はいくらかあると思うよ。早くそこに探しにいきなよ」

「私の探しているのは、そういった涙ではないのです。そういう涙は心からのものではなく、にせものです。私がほしいのは、劇場の中では探しだせません」

陽気な人はこれ以上言葉が出なくなって、目を見開いて彼をしばらく見つめてから、ようやく聞きました。

「じゃあいったいどういった涙が必要なの？　私が言ったもの以外にあるとは思えないけど。この世に、まだ別の涙があるのかい？」

「ありますよ。たしかに世の中には別の涙があります。私が探しているのは、同情の涙なのです」

陽気な人はとてもあやしみ、目を細めてしばらく考えてから、首を振って言いました。

「それはあり得ないね。同情の涙とかいうおかしなものは、私は聞いたことがない。だれがそんな涙を流すのか、どうしてそんな涙を流すのか、想像もつかないよ。どうしてそんな涙を流す必要があるのかも分からない。あなたがなぜそう言うのか、もっとくわしく私に教えてくれないかい？」

「あなたが知りたいなら、もちろん教えてあげますよ。同情の涙とは、他人の苦しみのために流すもので、自分の希望がついえたためではありません。他人の苦しみを自分の苦しみと同じように感じ、涙が自然と流れでるもので、赤ちゃんのように理由もなく泣くものではありません。こうした涙は真心からのもので、見せかけだけとか、まやかしのものではなく、だれがこうした同情の涙を流すのかについては、私には分かりません。だからいろんなところを探し歩き、あらゆる人の目を観察して、同情の涙をいったいどこでなくしたのか観察しているのです。なくしたものは、探しだすことができます。だから、私はいろんなところを探し、もし見つけたら、拾いあげて彼らに返そうと思うのです。こうした涙を流す人は必ずいると思いますが、まだ探しだせていません。だから休まず、ずっと探しつづけなければならないのです」

陽気な人は首を振って言いました。

「私にはほんとうに分からないよ。こうした涙を流す人というのは、私が挙げた人たちよりも、もっとおろかじゃないの？　人はもっとも賢く、そこまでバカじゃないと思うけど。私はきみの話を信じないね」

彼は陽気な人をあわれに思い、軽くため息をついて、言いました。

「あなたこそ、こうした涙をなくした人ですよ。私といっしょに探しませんか。もしかしたら、あなたがなくしたものを取り戻せるかもしれない。だとしたらすごくラッキーじゃないですか」

陽気な人はふゆかいになり、彼に言いました。

「私は泣いたことなんてないよ。だから涙をなくしたこともない。私にとって、涙なんて何の役にも立たないものだ。きみとそんな何の役にも立たないことをしようとは思わないね。さようなら、私は歌をうたい、ダンスをしにいくよ。私が探したいのは楽しみだからね！」

陽気な人は、彼のおろかさや頑固さをあざわらって、身を翻して去っていきました。

彼はまたため息をついて、人のたくさんいる場所へと歩いていきました。

彼は大通りへやってきました。自動車がビュンビュンと風よりも速く走っています。道を行く人は前後をきょろきょろと見わたし、とてもうろたえたようすで、自動車にひかれてしまうことだけを恐れています。やせて皮一枚になり、黒い毛を汗でびっしょりぬらしているラバに引かれた荷車が、石炭をのせてのろのろと進んでいます。ラバは今にも倒れそうで、半分目を閉じて、一歩一歩前へ進んでいます。御者は顔じゅう石炭の粉だらけで、目は開かないようで、くちびるだけが真っ赤に見え、恐ろしげです。人力車の車夫は腕を羽のように開いて、両手で車の引き手を強く引っ張り、両足は飛ぶように走っていて、かかとで自分のお尻をけってしまいそうです。風が吹き、砂がまいあがり、彼らの鼻やのどに入りこみます。彼らはハアハアと、まるでふいごのようにあえいでいます。全身汗だくでもぬぐうひまもなく、道の上にまき散らしています。

彼は道ばたに立ち、ここには同情の涙があるはずだと考えました。彼はていねいに探しましたが、一滴も見当たりません。道を行く人を見ると、車を駆っている人、車を引いている人、そしてラバがいますが、彼らの目は涙を流したことがあるようには見えず、涙を流せるようにも見えません。彼は失望し、道路から離れました。

彼はある会場の入り口にやってきました。何千何万もの人がひしめいていて、一人の人を待っていました。彼は近くにいる人がその人の経歴について話しているのを聞きました。その人は何回も大きな戦争をし、彼が指揮する軍隊は無数の敵兵を殺し、草原も、塹壕も、いたるところあおむけやうつぶせの死体だらけだったそうです。家はこわされ、庭は荒れはて、学校から子どもたちの教科書を朗読する声が聞こえなくなり、工場の機械の動く音もしなくなりました。なぜならその人が大砲で砲撃したからです。男たちは腕がなく足が折れていて、女たちは夫の墓の上に突っ伏したり、子どもの写真を捧げ持ったりして泣いています。受けているのは、すべてその人が与えてくれた恩恵なのです。今戦争は終わり、その人は勝ちをおさめて帰ってきて、ここを通るのです。

彼は入口に立って、ここには同情の涙があるはずだと考えました。ちょうどこのとき、その人が到着し、どの顔にもただならぬ敬慕の表情が浮かびました。みんなはピョンピョンと青ガエルの群れのように跳びあがりました。歓呼の声が潮のようにとどろき、放った帽子が空中を舞いました。だれもが酔ったように熱狂して、その人を取り囲んで会場へ入っていきます。歓迎会は今にも始まろうとしていて、みんなの顔には笑いと興奮があるだけで、涙を流したことがあるようには見えず、涙を流せるようにも見えません。彼は失望して、会場の入口を離れました。

彼は大きな工場の中にやってきました。無数の男女の労働者がここで働いていました。機械のごう音で何も聞こえず、機械油の匂いが鼻をつきます。彼らは機械の回転に合わせて気力を振りしぼって働いています。彼らの顔は白くやせ細り、まるで死人のようです。機械のそばにへばりついて、自分が持ってきた粗末な食べ物を食べている人がいました。数人の女工さんは、食べ物を見てぼんやりしていました。彼女たちは家に残してきた子どもが家で大泣きしているのではないかと考えていて、とつぜん夢から覚めたかのように食べ物をそそくさと口に入れ、また仕事に戻りました。夕暮れどきになって、工場はようやく終業となりました。通りはとてもにぎやかで、幸福な人はいろんな楽しみを探しにいこうとしていました。工場から出てきた労働者は彼らの中にいて、とても異質に見えました。

彼は労働者の後について歩きながら、ここには同情の涙があるはずだと考えました。通りにいる人は川の水のように、まるで一人が一滴の水のように、加わっては同じ方向へと流れていき、だれもお互いのことを気にかけていません。彼らの目はかれた井戸のようで、涙を流したことがあるようには見えず、涙を流せるようにも見えません。彼はまた失望し、灯火がきらめく通りから離れました。

街の中で、彼は同情の涙を探しまわりました。心の中はいらだちと心配でいっぱいで、何の考えもなく、足が向くまま、郊外へとやってきました。

わらぶき屋根の家があり、その前に空き地があって、四、五本のポプラの木が生えていました。明るい太陽がポプラの木を照らし、緑の葉がことのほかみずみずしく柔らかく見えます。この農家にはきっとお祝いごとがあるのでしょう。今ちょうど宴会の準備をしているところです。ある女性がポプラの木の下で鶏をさばいています。竹カゴの中には十羽ほどの鶏がいて、女性は竹カゴの中から一羽を取りだし、左手に鶏の羽とさかをにぎり、右手で首の毛をむしって、刀物を手に取ると、鶏の首を切り割きました。その鶏は両足をピンと伸ばし、抜けだそうともがきましたが、抜けだせるはずもありません。鮮血が傷口から流れでて、お碗いっぱいにたまりました。血がぜんぶ出てしまうと、女性はその鶏をかたわらにおき、簡単にしばって動けなくしました。女性は竹カゴから次の鶏を取りだし、首の羽を抜きました。

ちょうどそのとき、わらぶき屋根の家から子どもが出てきました。赤い顔をし、真っ黒な瞳がくりくりと動いています。彼は女性のそばにやってきて、地面に置かれた殺された鶏、竹カゴの中のおびえた鶏、さらに女性の手の中の、すでに首に刀物が当てられた鶏を見ました。子どもはもう耐えきれずに、女性の刀物を握った右手を押さえ、のどからは泣き声を出し、目からはまるで泉のように、涙がほとばしりました。

涙を探している人は宝物を探し当てたと同じように、高らかに叫びました。

「探し当てたぞ、こんなところで探しだせるなんて！」

彼は夢を見ているような、信じられない思いでいっぱいでした。これはたしかにほんとうの涙で、一粒一粒が美しい真珠のようです。彼は歩み寄り、両手をそろえて、子どもの目の前にさしだしました。しばらくすると、彼の両手は真珠のような涙でいっぱいになりました。

「多くの人がなくしているものを、今私は探しだした。この同情の涙を彼らに返すのが、私の責任だ」と彼は考えました。

彼はまっさきに、あの陽気な人を探しました。なぜなら、陽気な人は自分がこのように貴重なものをなくしているということを信じなかったので、まず彼にこれを贈らなければならないと思ったのです。そして彼はさらにいろいろなところを歩きまわり、この貴重な贈りもの——同情の涙をすべての人に贈りました。彼はきっと読者のみなさんの前にもやってくるでしょうから、みなさんも、彼の贈りものを受け取る準備をしっかりしておいてくださいね。

一九二二年三月十九日

ガビチョウ

　金の鳥カゴの中に、ガビチョウ〔漢字で画眉鳥と書き、スズメ目チメドリ科の鳥で、鳴き声がよいために飼育される鳥〕が一羽飼われていました。明るい太陽がカゴの格子を照らし、まぶしい光を放っていて、国王の宮殿にも負けません。水入れは緑の玉でつくられ、その中の水はまるで雨の後のハス池のようです。鳥のエサ入れはメノウでつくられたもので、色は栗のようです。カゴの中には三本のとまり木がわたされていて、ガビチョウがそこにとまれるようにしてあり、それは象牙でつくられています。上にかけられたおおいは、夜にカゴにかけるためのもので、いちばん細い絹糸で織られたサテンでできています。

　そのガビチョウは、全身の羽がツヤツヤしていて、一本たりとも欠けておらず、一本たりとも整っていないものはありません。これはいいものを食べ、毎日二回水浴びをしているからです。この鳥はとても快適に暮らし、毎回おなかいっぱい食べ、こぎれいにし、カゴの中を跳びはねています。それに飽きると象牙のとまり木をあちこちと移りながら、しばらく休みます。このとき、くちばしであちこちの羽をつくろい、その後にぶるっと体を震わせ、羽をばたつかせると、機敏にあたりを見わたし、また跳ねまわりはじめるのです。

　この鳥の声は柔らかく、抑揚があり、変化に富んでいて、聞く人をうっとりさせ、ほろ酔い気分にさせます。この鳥の飼い主は金持ちの坊ちゃんで、この鳥を心から愛していました。飲ませる水は自分で山の泉までくみにいき、さらにそれをろ過します。食べるアワは自分の手で粒がふっくらまるいものを選び、さらに水で洗います。坊ちゃんはどうしてそんなに気を使うのでしょう？　どうしてガビチョウのためにこんなに豪華なカゴを用意したのでしょう？　坊ちゃんはガビチョウの歌を聞くのが好きで、ガビチョウが歌うと、坊ちゃんは言葉では言い表せないほどうれしくなるからです。

　ガビチョウ自身にしてみれば、坊ちゃんがとてもかわいがっていて、歌を聞くのが好きなことを知っていたため、絶えず坊ちゃんに歌を聞かせ、歌い疲れてもまだ歌っていました。でも口を開いて声を出すことの何がよいのか分からず、坊ちゃんの気持ちがよく分からないでいました。しかし、坊ちゃんが確かにそれを喜んでいたため、坊ちゃんのために歌っていたのです。坊ちゃんはまた、しょっちゅういっしょにいる兄弟姉妹に、「ぼくのガビチョウはとってもすばらしいんだ。とても歌がうまいから、きみたちも聞くといい」と言いました。兄弟姉妹たちがやってきて、取り囲んで見たり、歌を聞いたりすると、みんなとても喜んで、誉めそやします。ガビチョウは「私は自分の歌声がいいとは思わないのに、どうしてみんなは好きなのかな？」と思いました。けれど、これらの人たちは坊ちゃんが呼んだのだから、ちゃんともてなさないと坊ちゃんが悲しがるので、坊ちゃんのために歌おうと思ったのです。

　一日また一日と、何の変化もなく、すべてが順調に過ぎていきます。ガビチョウはずっと坊ちゃんと坊ちゃんの兄弟姉妹のために歌いつづけましたが、自分では歌う意味や、歌うことのおもしろさがずっと分からないでいました。

　ガビチョウはとても悩んでいましたが、きっといつの日か分かるにちがいないと思いました。ある日、坊ちゃんが食べものと水を与えたあと、カゴの戸を閉め忘れて行ってしまいました。ガビチョウは戸のところに行き、外を見て、ひとはねして、外に跳びだしました。今度はひと飛びして、屋根の上まで行きました。周囲を見わたすと、ものめずらしく感じ、美しいと思いました。真っ青な空に、小さな帆のような雲が浮かんでいます。鮮やかな緑の柳がゆらゆらゆれていて、だれの家の庭だか分かりませんが、アンズの花が燃えあがる炎のように咲いています。遠くを見ると、山の中腹にうっすらと煙がとりまいていて、今起きたばかりの人がまだ寝ぼけているみたいです。見れば見るほどうれしくなり、あちこちはねまわっては立ち止まり、景色に見入っていました。

　ガビチョウはウキウキし、鳥カゴも、以前の生活も忘れ、興奮のあまり飛びたって、どことも知らず遠くへと飛んでいきました。緑の草原、黄砂が続く荒野を飛び越え、高い波が立つ長江も、濁流がとうとうと流れる黄河も飛び越えて、ようやく一休みしようと思いました。羽をとじて降りていき、ちょうど大都市の城門のやぐらの上に降り立ちました。下には商店街があり、人や車が行き交い、ごった返すようすがはっきりと見えます。

　めずらしい光景が向こうのほうからやってきます。左右に二つの車輪をつけた木の桶の中に半ば身を横たえた人を、もう一人が前方で引いて、飛ぶように道を走っているのです。一台だけでなく、一台が通り過ぎたかと思うと、続いてもう一台がやってきて、長い列となっています。ガビチョウは考えました。

「あの木の桶の中に半ば身を横たえた人は足がないのかな。どうして人に引かれているんだろう？」

　ガビチョウが半ば身を横たえた人をよく見ると、下半身はきれいな模様の毛布で隠されていて、毛布の下から、ピカピカにみがかれた流行の黒い革靴がのぞいています。

「あれ、足はあるみたいだな。どうして人に引っ張ってもらっているんだろう？　そうすると百人のうち、五十人が歩けないということだよね？」

　考えれば考えるほど、分からなくなります。

「それとも、人を引っ張って走っている人は、おもしろいからやっているのかな？」

　でもよく見ると、これもちがうようです。その人は顔を真っ赤にし、汗をたらし、背中からは蒸気が上がり、開けたばかりのセイロのようです。体をななめにし、大またで、命からがら逃げているダチョウのように、一方の足がまだ地面につかぬうちから、もう一方の足を上げています。

「どうしてそんなに急いでいるのかな？　急いでどこに行くのかな？」

　ガビチョウは考えましたが、分かりません。このとき、半ば身を横たえた人が手で左を指し示すと、前を走っている人がただちに止まり、続いて身をひねると、車輪も、桶も、上にのって半ば身を横たえた人も、いっせいに左へと回転し、また前に向かって走っていくのが見えました。

「走っている人は、人のために走っているんだ。どうりで、彼らは笑顔も浮かべず、走るのを喜ぶ歌もうたわないはずだ。なぜなら彼らは走るのに意味があるとか、おもしろいとか思っていないのだ」

　一人の人間が別の人の両足代わりになるなんて、ゆかいじゃないだろうと思い、ガビチョウはとても気がめいったので、歌をうたいだしました。ガビチョウは歌声でその不幸な人たちをあわれみ、彼らの苦労がただ別の人たちのためであることをあわれみ、彼らがやっていることに少しの意味も、楽しみも見いだせないということをあわれんだのです。


　そうした不幸な人を見るにしのびなくなり、休む

場所を変えようと、ひと飛びして、ある家の緑のペンキが塗られた手すりの上に行きました。手すりの向こうには大きな部屋があり、窓の外から中を見ると、たくさんのぜいたくな格好をした人たちがテーブルを囲んで食事をしています。テーブルにかけられた布は雪のように真っ白です。ナイフとフォーク、ガラスのコップ、大小さまざまな皿が並び、すべてピカピカです。真ん中には大きな花瓶があり、そこにはいろんな色のお花が生けられています。テーブルを囲む人はみんな顔を赤らめ、目を細めて、利き酒をしています。下の階から声が聞こえます。ガビチョウは急いで下の階に行って見てみると、まったくちがう光景がありました。長い木の板の上に置かれた包丁のそばに、頭としっぽのない魚が置かれ、細く切った肉の山があり、殻がむかれたエビがあり、さらに切り刻まれた鶏や鴨もあります。木の板のそばには、水がめや、汚水を入れる桶、大皿、小皿、お碗、スプーンがあり、いろんなビンや石炭、まきがごちゃごちゃとそこらじゅうに置かれています。室内にいる数人は、上半身裸で、全身が油まみれで、油煙と蒸気がただよう中で忙しそうに働いています。一人が顔を火に向け、鍋で何かを炒めています。油を鍋に入れると、鍋のふちに火がぱっと燃え移り、彼の顔や腕が焼かれて赤くなっています。炒め物ができあがり、きれいな大皿の上に盛り付けられ、白い服を着た人がそれを受け取って上へ行きました。まもなくして、上の階から談笑の声が聞こえ、ナイフとフォークがテーブルの上できらめきました。

　ガビチョウは考えました。

「下の階の人たちは、何かの病気なのかな。じゃなければ一日じゅう火のそばで炙られる必要なんかないよね？　そこに立って忙しそうにしているのは、とても意味のあるおもしろいことだと思っているからなのかな？」

　でもよく見ると、そうではなさそうです。

「寒かったら、家の中でふとんをかけて横になっていればいいじゃないか。もし意味がありおもしろいことだと思っているなら、顔にほほえみがまったくないのはどうして？　料理ができてもなぜ自分で食べないの？　そうだ、彼らは白い服を着た人の言うことを聞いて、まゆをひそめ、あわただしくあれやこれやと調理しているよ。彼が忙しいのは、自分がそうしたいからではなく、他の人に食べさせるためにそうなっているんだ」

　一人の人間が別の人の調理マシンになるなんて、ゆかいではないだろうと思い、ガビチョウはとても気がめいったので、歌をうたいだしました。ガビチョウは歌声でその不幸な人たちをあわれみ、彼らの苦労がただ別の人たちのためであることをあわれみ、彼らがやっていることには少しの意味も、楽しみもないということをあわれんだのです。

　そうした不幸な人を見るにしのびなくなり、場所を変えて一休みしようと、羽を広げて飛びあがりました。曲がりくねった静かな路地を飛び越えると、そこからゆったりとした三弦の音と女の子の歌声が聞こえてきました。ガビチョウは羽をとじて、屋根の上に降りました。屋根の上にはガラスの天窓があり、そこから中をのぞくと、いすがあって、そこに黒い大きな男が座って三弦を弾いていて、十三、四歳ほどの女の子がそばに立って歌っていました。

「今度こそ幸福な人が見れるぞ。彼らが今音楽を演奏して、歌をうたっているからには、当然音楽の楽しみを知っているのだろう。彼らの楽しむようすを見てみないと」

　そう思って、彼は耳をかたむけながら、よく観察しました。

　しかし思いがけないことに、そうではなく、また考えちがいをしていたのです。その女の子の歌は、どんどん切迫し、どんどんトーンが高くなり、顔は赤くなり、いちばん高い音のところにくると、まゆを何度もひそめ、ひたいの上の青筋も太くなり、胸が上下にせわしくうごいて、息が続かないようです。調子がどうにか整ってきても、歌詞が複雑すぎて、字が水のように外へと流れでて、息をつくひまもなく、そのうちのどが枯れてきてしまいました。三弦と歌がやみ、その黒い大男がまゆをひそめ、目を見開き、大声で言いました。

「そんな歌で、どうやってお金をもらうというんだ。もう一度!」

女の子はうなだれて、目に涙を浮かべていましたが、また三弦の音とともに歌いだしました。今度はもっと気をつけているようで、声が少し震えています。

ガビチョウはようやく分かりました。

「なんだ、彼女も別の人のために歌っているんだ。もし彼女が自分の思いどおりにできたなら、とっくの昔に部屋にいって休んでいただろう。でもそれができずに、他人を楽しませるため、他人からお金をもらうために、むりやり練習しているんだ。あの三弦を弾いている人も同じく、他人のために弾いていて、それに合わせて女の子を歌わせていたんだ。何の意味があり、何の楽しみがあるかなんて、彼らは夢にも考えたことがないんだ」

ガビチョウは一人の人間が別の人の楽器になるのはゆかいではないだろうと思い、とても気がめいったので、歌をうたいだしました。ガビチョウは歌声でその不幸な人たちをあわれみ、彼らの苦労がただ別の人たちのためであることをあわれみ、彼らがやっていることには少しの意味も、楽しみもないということをあわれんだのです。

ガビチョウは、もう戻らないことにしました。あの鳥カゴは宮殿のように豪華ですが、その中にまた住みたいとは思いませんでした。彼は、多くの不幸な人を見てきたので、自分の以前の生活もかわいそうであったことに気がついたのです。意味のない歌、おもしろみのない歌は、本来歌う必要はありません。どうして坊ちゃんのために歌い、坊ちゃんの兄弟姉妹のために歌わなければならないのでしょう？　当初は何も分からず、こうした生活も悪くないと考えていましたが、今こうして自分と同じようなかわいそうな人を見ると、ますます心が痛みました。たえきれずに泣きだし、涙がポトポト落ち、感傷にひたるのが好きなホトトギスのようになってしまいました。

ガビチョウは飛びはじめ、荒涼とした何もない場所へと飛びました。夜になると深い森の中で休み、昼間は飛びたくなったら飛び、歌いたくなったら歌いました。おなかがすいたら、適当に野草の実を探して食べました。汚れたら、川に行って水浴びしました。まわりにはもはや格子はなく、やりたいことは何でもできます。ときに不幸なものと出会い、心が痛むと、歌でそのいやな気持ちを晴らしました。おかしなことに、歌うとすぐに気が晴れて、いやな気持ちは早朝の霧のように、たちまち消え去りました。歌わねば、気が晴れず、とてもつらいのです。このときから、ガビチョウは歌うことの意味と楽しみを知ったのです。

世の中には、都市にも、野山にも、小屋の中にも、ビルの中にも、いたるところに不幸なもの、不幸なことがありました。ガビチョウはそうしたことに出くわし、心が痛んで、歌をうたわざるを得ないこともありました。ガビチョウが歌うのは、自分のためで、自分が関心を持つに値する、あらゆる不幸なもの、不幸なことのためです。もう永遠に、だれかのため、だれかを喜ばすためには歌いません。

ガビチョウが歌うと、その歌声は、雲をぬけ、そよ風とともに、いろんなところに届きました。工場の中の労働者、田畑にいる農夫、布を織る女性、車を引いて走る車夫、牙のぬけた年老いた牛、骨と皮になったやせ馬、出し物を演じるサル、空を飛んで手紙を運ぶハト……。ガビチョウの歌を聞くと、みんな満足し、疲れを忘れて、いやなことも忘れ、いっせいに頭を上げて、口元にほほえみを浮かべて言うのです。

「なんてすてきな歌なんだ！　ガビチョウってとてもすばらしい！」

一九二二年三月二十四日

フラワーガーデンの外で

春風が吹き寄せ、細い柳の枝がいつの間にかあわい黄色に染まり、もう緑の気配が感じられるまでになりました。垂れさがった柳の枝が風でさっと持ちあがり、またすぐにいっせいにたれさがり、まるできれいに整えた女の子のやわらかな髪のようです。

一本の小川が二列にならんだ柳の木の間を流れています。だれが小川に水をなみなみと注いだのでしょう。青く澄んだ水がほとんど岸辺と同じ高さになっています。細くて均一な美しい波紋は水の表面に刻まれているようで、前に進んでいるようにはまったく見えません。柳の木の影がことのほかはっきり映っています。水の匂い、土の匂いが、もう春が来ていることを感じさせます。あたたかな陽光が小川の上をおおっていて、小魚や小エビたちはむろんのこと、どの石、どの砂粒にも命の喜びが感じられます。

小川のそば、柳の木の下には、いろんな豪華な車が同じ方向に走っています。馬が引くものは、地面の上を車輪がまったく音をたてずにすべり、白銅のスポークがまぶしく光って、まっくらな車内を明るく照らし、巨大なガラス窓は、存在しないかのように透きとおっています。人が引くものも、とても軽快で、まっ白ないすカバーに、花模様のひざかけがかかり、車の引き手にはおもちゃのようなラッパがあって、すべてとても美しいものです。さらに機械で動くものもあり、まるでめずらしい野獣のようで、大きな体と、一対のまるく見開いた目を持ち、転がるように走り、目の前にやってきたかと思うとあっという間に見えなくなりますが、まだかすかに奇妙な咆哮だけが聞こえてきます。

　さまざまな車にのっている人の心は楽しさでいっぱいです。楽しさにはもともと重みがあるものですが、見てください、車を引いている馬は汗をかき、車を引いている人はあえぎ、機械ですらギーギーとくたびれた音を出しています。車に座っている人はまったく気づくことなく、楽しさで胸をいっぱいにし、喜びあふれる目で、やわらかな柳や静かな川の水を眺め、また鼻をふくらませて深呼吸して、春の芳香をしみじみと味わっています。あの太った紳士を見てください。たるんだ両ひざをしきりにゆすっています。あのおばあさんは、しわだらけの目を細めて、しわくちゃの口を開けています。若い女の子たちはハンカチを振りながら歌をうたいはじめました。子どもたちは笑いながらふざけ、両腕を広げて飛び降りようとしています。このとき、車を引く馬はもっと汗をかき、車を引く人はさらにせわしくあえぎ、機械ですらギーギーとよりくたびれた音を出すのです。

　楽しさで胸がいっぱいの人はいったいどこへ行くのでしょう？　前方の小川がカーブするところに、フラワーガーデンがあるのです。春風が吹き、眠りについていたフラワーガーデンが目覚め、まだ気だるさを帯びながらも、甘い香りを放っています。小鳥たちはもうにぎやかに歌いはじめて、楽しさで胸がいっぱいなのに、さらに楽しさを求めている人を招き寄せています。彼らはフラワーガーデンが楽しさの銀行であることを知っているため、一滴の水が大洋へと向かうように、自然にフラワーガーデンへと向かっていくのです。

　長くんはフラワーガーデンの入り口にもう一日以上立ち続けています。となりの家のおばさんが彼にこのフラワーガーデンの話をしたことがあり、この門の中はきっと天国のようなところだと思い、中に入ってみたかったのです。彼はお父さんとなかなか顔を合わせることができません。朝、彼が起きるときには、お父さんはまだぐっすり寝ていて、仲間たちと遊んで家に戻ったときには、お父さんはもうどこかに行っていて、夜になってまぶたが重くなってもまだ家に戻りません。だから彼は、お母さんに言うしかありませんでした。お母さんはいつも人の服を洗っていて、青い布のエプロンはいつもびしょびしょで、十本の指は水でふやけて白くふくれあがっています。長くんがフラワーガーデンに行ってみたいと言うと、彼女は怒って、「フラワーガーデン？　おまえがフラワーガーデンにふさわしいと思うのかい？」と言いました。彼女はそれ以上言わず、手の中の服を洗いつづけ、石けんのアワを周囲に飛び散らしていました。

長くんはそれ以上何も言いませんでしたが、ほんとうはお母さんの言うことがよく分かりません。どうして彼はフラワーガーデンにふさわしくないのでしょう？　だれがフラワーガーデンにふさわしいというのでしょう？　となりのおばさんはそんなこと言ったことはありません。長くんはとなりのおばさん以外、だれも道理が分かる人がいないと思っています。彼女が言わないのだから、ほかの人も知らないにちがいありません。長くんはただ疑問を心の中に秘めておき、ただ眠って、夢を見るしかありません。

彼は両足がまるで魔法にかかったかのように、知らず知らずのうちに歩いてフラワーガーデンの入り口に来ていました。広くて大きな門は開いていましたが、中をのぞいても、うっそうと茂った深緑や黄緑の木しか見えません。彼と樹林との間には何もさえぎるものはなく、だれもいません。彼は飛ぶように走り、より速く走り、より高く跳びました。とつぜん、彼の体が何かによってがんじがらめにされ、どんなに力を入れても抜けだせません。だれかが「おまえはだれといっしょに来たんだ」とどなっているのが聞こえるだけです。彼はうしろに大男が立ち、肩をつかまれていることにようやく気がつきました。その太く大きな手で、彼は何本もの縄でしばられたようになり、腕がしびれるほどでした。

長くんはおびえ、どう答えたらいいか分からず、目をまん丸く見開いていました。大男は彼の肩をゆすって、「おまえに聞いているんだよ。だれといっしょに来たんだ?」と言いました。長くんが「ぼ、ぼくは一人で来たんだ」言うと、大男は笑いましたが、顔はもっと怖くなりました。「一人で来たんなら、チケットを買ってから入りな」と彼は言いました。

「チケットを買う必要はないよ。ただフラワーガーデンの中を歩きたいだけなんだ」

長くんはそう言いながら、走って逃げようとしました。大男は怒り、目から凶暴な光を出して、まず鼻先が、そのうち顔全体が赤くなりました。彼は「この悪ガキ、金を出さずにフラワーガーデンに入ろうとするなんて。とっとと出ていけ!」と大声で言いました。大男が力をこめて一押ししたので、長くんはよろよろと後ずさりし、しりもちをつき、両手を後ろについて体を支えました。入口で休んでいた車夫たちはこれを見て、みんな笑いました。

長くんは笑い声を聞いて初めてフラワーガーデンの入り口に多くの車がとまり、たくさんの人が座っていることに気がつきました。彼はとてもきまりがわるくなり、ゆっくりと起きあがると何事もなかったように、だれも彼に目を向けていないすきに、急いで走って逃げました。家に戻ると、お母さんはまだ彼の服を洗っていて、長くんはお母さんに何も言いませんでした。

天国のようなフラワーガーデンが、長くんは気になってしかたありません。長くんはいつも家にいて、とても退屈だったので、また外に出かけました。どこへ行くと決めていたわけではなかったのですが、両足はいつもかくれんぼをしていた林を抜け、いつも鉄の環を転がしていた空き地を通り過ぎて、またまたフラワーガーデンの入り口にやってきてしまいました。長くんはここで失敗してしまったので、また中に走って入ろうとは思いませんでした。あの大男が入り口のそばの小屋の中にいますから。彼は門の外をこっそり歩きまわり、時に人力車の背後に隠れ、時に馬車のうしろにある小さな腰かけによじのぼり、時には勇気をふるいおこし、フラワーガーデンの入り口から中をのぞきました。馬車や人力車が一台また一台と去っていき、とうとう一台もいなくなりました。空はもう暗くなり、フラワーガーデンの中はもう何も見えません。大男の小屋からは灯りが見えます。もう長くんは家に帰るしかありません。

翌日、長くんはまたやってきました。フラワーガーデンの入り口をふらふらするのが彼の日課のようになりました。

一台の馬車がフラワーガーデンの入り口に止まりました。御者が車から飛び降り、戸を開けると、紳士と婦人が、二人の子どもの手を取って降りてきました。長くんはその二人の子どもにばかり気をとられていて、他の人はまったく目に入りませんでした。その二人の子どもの服は、ピカピカと光っていて、靴下はひざまでの長さがあり、黒光りしている靴が地面に当たり音をたてています。彼らの卵のような顔はとても赤く、髪はきれいに整えられています。彼らはフラワーガーデンの中に入っていき、ぴょんぴょんと跳ね、自由気ままにふるまっています。大男はどこに行ったのでしょう？　どうして彼らをつかまえないのでしょう？　彼らはうっそうと茂る樹林の中に入っていき、見えなくなりました。彼らは樹林の中で何をするのでしょうか。

長くんはそう考えているうちに、とてもふしぎなことに、自分も樹林の中にいるように感じました。うれしいことに、長い間願っていたことが、今かなったのです。彼は木陰の下を走りまわりました。樹林は果てしなく、大きな木が並んで立っていて、天を支える柱のようです。木の枝にはたくさんのリスが跳びはねています。顔の赤いサルもたくさんいて、猿回しのサルと同じように、木の枝に座ったり、木の枝にぶらさがったりしています。さらにふしぎなことに、いつも果物屋さんで見る赤や黄や紫のいろんな果物が、枝からたわわにぶら下がっています。果物屋さんはここから摘んでくるのでしょう。長くんは「ここで摘んで食べてみてもいいだろう」と思い、手を上げたとき、体に何かが当たりました。一台の人力車がちょうど彼のとなりに止まったのです。そのとき彼はようやく夢から覚め、まだフラワーガーデンの入り口に立っていて、中にはまだ一歩も入っていないことに気がつきました。

長くんがボーッとフラワーガーデンの門を見ていると、とつぜん目の前にかわいらしいものが現れました。それは真っ赤な花束で、フラワーガーデンの中から飛びだしてきて、彼の近くまでやってきたのです。その花弁はみんなゆれていて、また、奇妙な匂いがしました。でもその瞬間、その赤い花束は飛んでいき、だんだん遠くなって、とうとう見えなくなりました。長くんは考えました。

「この赤い花束はフラワーガーデンの中でいちばんよいものだろうから、少し持ち帰りたかったな。さっきつかまえなかったのは、本当に残念だ。でも大丈夫、中にはきっとたくさんあるにちがいない。一束これを摘んで、一日中洗濯していて、花なんて見たことのないお母さんの枕元に挿しておこう。仲間たちと芝居をするとき、帽子の上に挿して英雄を演じるために、もう一束を摘んでおこう。そしてこの花をうちの玄関のところに植えて、ずっとずっと咲かせるために、もう一束摘んでおこう」

長くんはこう考えているうちに、とてもふしぎなことに、自分がすでにフラワーガーデンの中に入り、花壇のそばに立っているように感じました。真っ赤な花が山のようにうず高く積まれていて、一面真っ赤です。彼は花がみんな笑っていて、彼に向かって黙ってほほえんでいるのに気がつきました。ほほえんでいる花からは、一滴また一滴と、いい香りのする甘い蜜が流れ出ていて、地面に落ちて固まって、一粒また一粒と赤いアメになっています。彼はその甘さを味わったように感じました。彼はアメを一粒拾って口に入れようとしましたが、もう一度見てみると、これはアメではなく、真っ赤な果物でした。果物でもいいので、彼は持ち切れないほど拾いました。花も摘まないわけにはいかないと思い直し、果物を置いて花を摘みました。一枝の半分が咲いているものは、お母さんの枕元にちょうどいいと思い、彼は摘んで胸元にねじこみました。小さめの枝はちょうど帽子のつばに挿すのにちょうどいいので摘んでポケットに挿しておきました。そして満開の枝は自宅の玄関に植えるのにちょうどよさそうです。彼が手を上げて摘もうとすると、とつぜん、自動車のブーブーという音で目が覚めました。彼はやはりフラワーガーデンの入り口にいて、中にはまだ一歩も入っていなかったのです。

長くんはとても悩みました。アメも消え、果物も消えて、ただ舌の上の甘さだけが残っているようです。彼がフラワーガーデンの門の中を見ると、やはりうっそうとしげった深緑と黄緑の樹林です。樹林の中から美しい音楽が聞こえてきました。転がるような軽快な太鼓の音、ラッパの音は大きくよく通り、長く響きわたっています。フルートの音はするどく、他の楽器をリードしています。さらにチリンチリンと銅や鉄の器を叩く音がします。きっと楽隊が樹林の中のお客さんのために演奏しているのでしょう。楽隊はきっとおそろいの服を着て、ラッパを吹いている人はほっぺたを丸くふくらませ、怒ったフグのような顔をしていることでしょう。フルートを吹く人は目を細め、まるで寝ているみたいに見えるにちがいありません。

そう考えているうちに、とてもふしぎなことに、自分が樹林の中のあずまやのそばに立ち、柵にもたれておもしろそうに楽隊の演奏を聴いているように感じました。楽隊はおそろいのブルーの衣装を着て、胸の前と肩の上にはきれいな模様がししゅうされています。楽器はみんなピカピカ光っていて、演奏する人の顔も服も輝かせています。彼らは流行曲を演奏し、また民謡を演奏しました。長くんはうれしくて大声で歌いはじめ、楽隊は彼の歌にあわせて演奏しはじめました。彼が高らかに「歩きだそう、歩きだそう」と歌うと、楽隊はあずまやを出て、整列し、彼に続いて芝生の上を足並みそろえて行進します。彼は両手を上げて、楽隊に左向け左と指揮しましたが、何かにぶつかってしまい、体がまわって初めて、ぶつかったのは二人の子どもだと気づきました。彼はやはりフラワーガーデンの入り口にいて、中には一歩も入っていなかったのです。

彼に突き当たった子どもは、先ほど中に入った二人でした。彼らは遊び終えてフラワーガーデンから出てきて、両手にはいっぱいアメを持っていました。彼らは長くんにぶつかっても、まったく気にすることなく、尊大なようすで両親とともに馬車に乗りました。ムチの音がひびき、車輪がゆっくりと動きはじめました。長くんはぼんやりと馬車が遠ざかっていくのを見ていましたが、振り返ってまたフラワーガーデンの入り口を見ました。彼はもう中に入って遊んできたような気がしましたが、フラワーガーデンは、ただ囲いで隔てられているだけで、門も広く開かれているのに、中の情景は知らないままなのでした。

一九二二年三月二十七日

祥兄ちゃんの胡弓

　青く澄んだ小川のそばに、小さなおんぼろの小屋がありました。壁にはとっくの昔にたくさんの穴があいていて、風や陽光や月光がこの穴から自由に出入りしています。柱は砂糖菓子のようにもろく、ぼろぼろになっていて、虫の住みかになっています。屋根にふかれたわらは、とっくの昔に灰色になっていて、いろんな方向から吹きつける風や雲から落ちてくる雨が、もとの茶色を洗い流してしまったからです。小屋の影が小川に映り、楽しそうな魚たちも見ることができます。月の明るい夜には、小屋が小川のほとりに影を落としていて、夜中に目覚めた小鳥たちもそれを見ることができます。

　この小さなおんぼろの小屋の中には、祥ちゃんと彼のお母さんが住んでいます。祥ちゃんのお父さんは死のまぎわに、何も言い残すこともなく、ただ壁にかかった胡弓を指さし、息もたえだえに「祥や、あの胡弓しか残すものはないけど、受け取ってくれ」と言いました。祥くんはお父さんのこの言葉の意味は分かりませんでしたが、お母さんは悲しみのあまり声もなく泣きだしました。このとき、お父さんは息を引きとったのです。

　この胡弓は祥ちゃんのお父さんがよく弾いていたものです。もとは青い竹でしたが、いつも手で握っていたので、赤いつやを帯びています。松ヤニをぬったところはいつも弓でこすられて、深くへこんでいます。巻き付けられたヘビ皮も色あせています。お空に星がいっぱいまたたく夏の夜、気持ちいい風が吹く秋の夜に、お父さんはこの胡弓を手にとって、いくつか曲を弾きました。田植えで疲れたとき、草刈りで疲れたときには、他の人が休憩するときにタバコで一服するように、お父さんはこの胡弓を手にとって弾いたのです。とても寒い冬の日に、雪が綿のように屋根をおおい、鳥たちが団子のようにかたまっているときでも、小屋の中からは胡弓の音が聞こえてきたものです。

お父さんの棺がかつぎ去られても、胡弓はまだ壁にかかったままでした。風が壁の穴から吹きつけ、胡弓が軽く左右にゆれています。陽光と月光が差しこんできて、胡弓の影が壁にうつり、水をすくうひしゃくのように見えます。祥ちゃんはそれを見ておもしろいと思いました。胡弓は神秘に満ちているみたいです。

お母さんはしばらくむしろを編んでいましたが、壁にかかった胡弓を指さして言いました。

「祥や、お父さんがこれをおまえに残したのだから、お父さんと同じように弾けるようになってくれれば、私は嬉しいよ！」

祥ちゃんはお母さんの話がよく分からず、壁にかかる胡弓をぼんやりと見つめていました。ご飯のとき、お母さんはまた壁にかかる胡弓を指さして言いました。

「祥や、お父さんがこれをおまえに残したのだから、お父さんと同じように弾けるようになってくれれば、私は嬉しいよ！」

祥ちゃんはやはり胡弓を見てぼんやりしていました。朝、祥ちゃんがお母さんの胸元で目を覚ますと、お母さんはまた彼に言い聞かせました。

「祥や、お父さんがこれをおまえに残したのだから、お父さんと同じように弾けるようになってくれれば、私は嬉しいよ！」

祥ちゃんが満四歳になったとき、お母さんは壁から胡弓をおろし、彼に手渡し、言いました。

「おまえはそろそろこれを弾くことができるだろう。お父さんみたいにいい曲を弾いて「聞かせておくれ」

祥ちゃんは両手で胡弓を持ちました。これは毎日会っている古い友人ですが、どうやって弾くのかまったく分かりません。彼が胡弓の弓を動かしてみると、木をのこぎりで切るときのような音がしました。彼は木工職人が木を切るときのように弓を往復させてみました。お母さんは彼を見て、ほほえみを浮かべて、「わたしの息子はほんとうににかしこいよ」とほめました。

胡弓の弓を動かすことが祥ちゃんの日課となりました。彼は家でこの日課をするだけでなく、小川のほとりでも、道ばたでも、同じように練習しました。魚とりの老人がちょうど川のそばで網を入れていて、彼をあざけって、「のこぎりで木を切っているみたいだ。父親よりもましかね」と言いました。船着き場でかがんで服を洗っていたおばあさんも、「おもらいさんの胡弓かね。おやじの芸を受け継いだとみえる」と言ってあざ笑いました。通りにいる子どもたちが彼を追いかけてきて、「聞いてられないね。その胡弓をぼくらのおもちゃにくれよ」と言いました。祥ちゃんは彼らが何を言おうとかまわず、ただ歩きながら弾いていました。

祥ちゃんは高い山に囲まれ、山の下には樹林が広がるだれもいない場所にやってくると、弓を動かしましたが、胡弓から出る音を聞いて、とてもうれしくなりました。するととつぜん、「弟よ、すてきなメロディーを弾きたいか？　私が教えてあげよう」という彼に呼びかける声を聞きました。祥ちゃんはまわりを探しましたが、だれもいません。だれが言ったんだろうとふしぎに思っていると「弟よ、私はここだよ。頭を下げれば私が見えるよ」とまた声がしました。祥ちゃんが頭を下げると、澄んだ泉の水が

サラサラと流れ、静かなメロディーを奏でています。水底にはいろんな色の、まるくて光った石があって、とてもすてきです。

祥ちゃんはうれしくなって「泉のお兄ちゃん、教えてくれるなんて、とても感激です」と答えました。

「私の弾くメロディーをよく聞いて、胡弓をそれにあわせて弾きなさい」と泉は言いました。祥ちゃんが耳をすますと、泉がメロディーで何を語っているかよく分かったので、それにあわせて弓を動かしてみると、胡弓はもうのこぎりで木をひくような音ではなくなりました。胡弓の音が泉のメロディーに続いて、後にそれが一体となって、どちらが泉でどちらが胡弓であるのか区別がつかなくなりました。祥兄ちゃんと泉はどちらもうれしくなり、他の事をすべて忘れ、ただひたすら演奏に没頭しました。しばらくして、泉は疲れたので、祥ちゃんに、「弟よ、とてもよく弾けている。私はちょっと休みたいので、明日また会おう」と言いました。泉のメロディーはどんどん軽くなり、とうとう彼は眠りにつきました。祥ちゃんは泉を離れ、前へと進みました。

祥ちゃんが新しく覚えたメロディーを弾くと、周囲の山がみなこだまし、とても複雑なメロディーとなり、それを聞くと彼はとてもうれしくなりました。するとまたとつぜん、「弟よ、すてきなメロディーを弾きたいか？　私が教えてあげよう」という呼びかける声を聞きました。彼は周囲を探しましたが、だれもいません。まさか泉が目覚めて、追いかけてきたのかな？　とまどっていると、「弟よ、私はここだよ。頭を上げれば私が見えるよ」とまた声がしました。祥ちゃんが見上げてみると、それはシルクのような風で、そよそよとやわらかなメロディーを奏でています。小さな草たちや野の花たちはみな、それを聞きながら軽くうなずいています。

祥ちゃんはうれしくなって、

「風のお兄ちゃん、あなたが教えてくれるなんて、とても感激です」と答えました。

「私の弾くメロディーをよく聞いて、胡弓をそれに合わせて弾きなさい」と風は言いました。

祥ちゃんが耳をすますと、風がメロディーで何を語っているかよく分かったので、それに合わせて弓を動かし、だれよりも何をするよりも心をこめました。胡弓の音が風のメロディーに続き、後にそれが一体となって、どちらが風でどちらが胡弓であるのか区別がつかなくなりました。祥兄ちゃんと風はどちらもうれしくなり、速くなったかと思えば、ゆっくりとなり、高くなったかと思えば、低くなり、ただひたすら演奏に没頭しました。小さな草たちや野の花たちがみなうっとりと聞きほれ、酔いしれたように頭をたらしています。のちに風は祥ちゃんに、「弟よ、また新しいすてきなメロディーを覚えたね。私はもう別の場所に行くけど、機会があればまた会おう」と言って、立ち去りました。祥ちゃんは風に別れを告げ、さらに前へ進みました。

祥ちゃんは、しばらくは泉のを、しばらくは風のをと、新しく覚えたメロディーを順番に弾いているうちに、いつのまにか林の中に入っていました。泉のメロディーを弾いていると、彼は活発な泉のお兄ちゃんを思いだし、風のメロディーを弾いていると、彼はやわらかな風のお兄ちゃんを思いだしました。するとまたとつぜん、「弟よ、もっとすてきなメロディーが覚えられたらいいとは思わないか？　私が教えてあげよう」という呼びかける声を聞きました。彼は周囲を探しましたが、だれもいません。とてもふしぎです。泉と風以外、彼の音楽教師にまたなろうとする者がいるのでしょうか？　とまどっていると、「弟よ、私はここだよ。緑の葉っぱの奥をよく探せば、私が見えるよ」とまた声がしました。祥ちゃんが緑の葉っぱの奥をよく探してみると、そこには美しい小鳥がいました。小鳥はこの枝、あの枝と、機敏に飛びはねながら、優美なメロディーを歌っています。緑の葉っぱに囲まれた空間が小鳥の舞台となっています。

祥ちゃんはうれしくなって、「小鳥のお兄ちゃん、あなたが教えてくれるなんて、とても感激です」と答えました。「私のメロディーをよく聞いて、胡弓をそれに合わせて弾きなさい」と小鳥は言いました。祥ちゃんが耳をすますと、小鳥がメロディーで何を語っているかよく分かったので、それに合わせて弓を動かしてみました。彼の手はどんどん機敏に動くようになって、軽さも速さも思うがままです。胡弓の音が小鳥のメロディーに続き、のちにそれが一体となって、どちらが小鳥でどちらが胡弓であるのか区別がつかなくなりました。祥ちゃんと小鳥はどちらもとてもうれしくなり、目を合わせて、にっこりとほほえみました。のちに小鳥は歌いすぎてのどが渇き、祥ちゃんに言いました。

「覚えたすてきなメロディーがどんどん増えていくね。ぼくはのどが渇いたので、川辺に水を飲みにいって、ついでに水浴びしてくるよ。またあとで会おう」

小鳥は言い終えると樹林から飛び去りました。

祥ちゃんの弾く胡弓はどんどんすばらしくなり、弾くメロディーもますます精妙なものとなりました。彼のメロディーは泉のものでも、風のものでも、小鳥のものでもなく、いくつかの色をまぜあわせて新しい色をつくるように、三つを融合させ、新しいメロディーをつくりあげたのです。彼はしょっちゅう泉が目覚めたかどうか見にいきました。泉は彼に「きみのメロディーは私のよりももっとすてきだ。私を寝かしつけるために一曲聞かせておくれ」と言いました。彼はしばしば風に会いにいき、風とお話をしました。風は彼に「きみのメロディーは私のものより優れているよ。一曲聞かせて、私を楽しませてくれないか？」と言いました。彼はしょっちゅう小鳥たちのダンスを見に、小鳥の歌を聞きにいきました。小鳥は彼に「今ではもうきみが私を教えられるよ。一曲聞かせて、きみの新しいメロディーを教えてくれよ」と言いました。祥ちゃんは彼らがそう言うのを聞いて、とてもうれしくなり、できるかぎり自分の新しいメロディーを彼らに聞かせてあげました。泉はそれを聞いて静かに眠りにつき、風はそれを聞いて、ほほえみを浮かべました。小鳥たちは聞きながら、それを学びました。

祥ちゃんは大自然のすべてとお友だちになり、いつも自分でつくったメロディーを彼らに聞かせていました。彼らはみんな祥ちゃんのことが大好きで、みんな自分のメロディーを祥ちゃんに奏でてあげました。祥ちゃんの胡弓はますます精妙なものとなり、彼は自分でつくった新しい曲をたくさん弾くことができるようになりました。お母さんはこの上なく喜び、祥ちゃんに「おまえの弾く胡弓はお父さんのと同じくらいいいよ。お母さんはとっても好きだ。お父さんがおまえに残した胡弓を持って、自分でつくった曲を、世界のあらゆる人に聞かせてあげるといい」と言いました。祥ちゃんはお母さんがそう言うのを聞き、胡弓を持って、小川のほとりのぼろ小屋を離れました。

都市の中に音楽ホールがあって、とても豪華な建築で、階段や柱はみな大理石で、舞台にはシルクの幕があり、花でつくった屏風があり、さらにたくさんの金ピカの装飾品があり、目がチカチカするほどです。大音楽家はみなここで演奏したことがあり、その演奏のときには、音楽ホールは満入りとなって、男性も女性もみな優雅なものごしで、美しく着飾っています。彼らは目を閉じて、かすかにうなずいて、彼らだけがこのようにすばらしい音楽を鑑賞できることを示します。一曲終わると、軽く、あるいは落ち着いて拍手をして、音楽で快楽を得たことを示します。演奏する音楽家の名声はますます高くなるのです。

祥ちゃんがこの都市にやってくると、音楽ホールも彼に胡弓を弾いてくれるよう頼んできました。数日前、カラーの大きなポスターが街角のいたるところに張られ、それには「精妙なメロディー、新鮮な趣き、田野の音楽家」と書かれていました。これらの文字は奇妙きてれつで、人の目を引くものでした。祥ちゃんが演奏するその日、音楽ホールは満入りとなりましたが、当然いつもやってきている聴衆です。彼らはみんな舞台を見て、口を開け、何かおいしいものを食べるのを待っているみたいです。

祥ちゃんが舞台に上がりました。彼はいつもと同じ着古した青い綿のシャツを着ていて、お父さんから譲り受けたあの胡弓を手にさげています。彼はお客さんにふかぶかとおじぎをしましたが、聴衆は眉間にしわをよせました。彼らが「われわれは百人も千人も音楽家を見てきたが、こんな田舎者は見たことがない。胡弓もみにくく、おもらいさんが手に持つもののようだ」と思っていると、祥ちゃんは弓を動かし、胡弓の出す音が音楽ホールの中に響きわたりました。みんな最初はとても静かだったので、はっきりと聞こえました。しかし間もなく、聴衆は話を始め、最初はささやき声だったのが、しだいに声が高くなり、潮のように響きわたるようになりました。祥ちゃんの胡弓の音が速く、高くなればなるほど、人々のざわめきも高まり、胡弓の音をおおいかくしてしまいました。彼らが「こんなメロディー聞いたこともない」「味気がなさすぎる」「どこから来たおもらいさんだか知らないが」「詐欺だな」「音楽家になりすました詐欺師だ」「耳が汚れてしまったよ。早く帰って耳を洗いたいものだ」などと言う声がそこかしこに聞こえます。

聴衆はみな立ちあがり、次々と音楽ホールから出ていき、みな耳を洗いにいってしまいました。老紳士のひげがぴょんとはねあがり、その夫人のおしろいがたっぷり塗られた顔も真っ赤になり、坊ちゃんじょうちゃんたちはみなぶつぶつと文句を言い、怒りにたえかねていることを示しています。最後には祥ちゃんが一人舞台の上に立っているだけとなりました。彼はもう弾きつづけることなく、お父さんから譲り受けた胡弓をさげ、音楽ホールを出て、振り返り、この大理石の建築に向かってほほえみました。

祥ちゃんは小川のほとりの、自分の小さなおんぼろ小屋に戻りました。お母さんは、「お父さんから譲り受けた胡弓を持って、自分でつくった曲を世界のあらゆる人に聞かせるように言ったのに、どうしてこんなに早く戻ってきたの？」と彼に聞きました。祥ちゃんは、「みんなはぼくの曲を聞きたくないみたいなので、帰ってきたんだ」と言いました。お母さんは笑って、彼の頭を胸に抱き寄せて、「みんなが聞きたくなくても、私は聞きたいわ。もう出かけずに、家で私に聞かせておくれ。おまえの胡弓を聞きながらむしろを編むと、はかどるのよ」と言いました。お母さんは祥ちゃんがまだ小さな子どもであるかのように、両ほおにキスをしました。

胡弓の音がいつも小さなおんぼろの小屋から聞こえてくるようになりました。お空に星がいっぱいまたたく夏の夜、気持ちいい風が吹く秋の夕方、白い雪で大地がおおわれる冬の日、いたるところで花が満開の春の朝、近くの村遠くの村どこでも胡弓の音を聞くことができます。泉や風は時にゆるやかに、時に速く、小鳥はチュッチュッと、みんな胡弓の音に唱和します。野原はたちまち壁のない大音楽ホールとなりました。

祥ちゃんの胡弓は自然のすべてを指揮して音楽を奏で、そのすばらしい音は軽いシルクのように人々の上におおいかぶさりました。疲れて仕事に飽きた農夫が元気を取り戻し、眠くて疲れた製粉所の労働者がやる気を取り戻し、火で赤く焼けた鉄くずでやけどをした鉄工職人が痛みを忘れ、子どもに死なれた年老いた母がなぐさめを見い出しました。あらゆる人がうっとりと心地よくなりました。彼らは口をそろえて「祥兄ちゃんの胡弓に感謝するよ」と言いました。そして祥兄ちゃんの胡弓は、まさに大理石の音楽ホールの聴衆が聞きたいと思ったものではなかったのです。

一九二二年四月三日

目の見えない人と耳の聞こえない人

あるところに二人の障がい者が住んでいました。だれもが彼らをとてもかわいそうと言い、彼らも自分でかわいそうだと思い、医者を探して治したいと一心に思っていました。もし仙人に会えたなら、彼らの霊薬を何粒かもらえれば、すぐに障がいが治るのではないかというのが彼らの希望でした。

彼らのうち一人は目が見えず、一人は耳が聞こえませんでした。

目の見えない人は小さいころからで、光をまったく見たことがありません。お母さんがどのように笑うのか、子猫や子犬がどのように走るのか、月がどんなに明るいのか、花がどれだけ美しいか、彼はまったく知りません。彼はもともと目玉があったのに後にくぼんでしまったのか、それとももともと目玉がなかったのか、だれも知りません。彼の二本の眉毛の下には二つのまっ黒な深いくぼみがあるだけで、彼があおむけに横たわると、中にコップの水を注げるほどです。

耳の聞こえない人は子どものころからで、音をまったく聞いたことがありません。ママが歌う子守唄も、お友だちの歌も、鳥がどうさえずるかも、風がどんな音をたてるかも、彼はまったく知りません。彼の見た目は普通の人と同じですが、人が彼と話そうとすると、ぼろが出てしまいます。彼は人が口を彼のほうを向けて動かすのを見て、耳を近づけますが、右側の耳では聞こえず、逆の耳で聞いてもやはり聞こえません。こうしたとき、彼の口は自然とあんぐりと開き、目じりに無数のしわが寄り、顔に笑っているようないないような、なんともいえない気まずい表情を浮かべるのでした。

目の見えない人は、「世の中でいちばんすてきなのは光で、光があるからいろんなすてきなものを見れるんだ」と人が言っているのを聞きました。彼は目玉がある人をとてもうらやましく思い、さらに自分の障がいをうらむのでした。

「光が少しでも見えれば、ぼくは幸せなのに。アオガエルには目があり、ママや兄弟姉妹を見ることができ、お空の雲や山の木々も見ることができるそうだ。カトリガにも目があり、真っ暗な夜でも道がわかり、遠くにある灯りに向かって飛んでいくことができるそうだ。ぼくは世の中でいちばん苦労の多い人間で、アオガエルやカトリガにも及ばない。ああ、いつの日か光を見ることができるのだろうか」

　耳の聞こえない人は、いつも人が耳をそばだてて聞いているのを見て、世界でもっともすてきなのは音にちがいない、音を聞けば、あらゆる心の奥底からの声を聞くことができるのだろうと思っていました。彼は耳が聞こえる人をとてもうらやましく思い、自分の障がいをさらにうらみました。

「わずかな音でも聞こえたら、ぼくは幸せなのに。チョウは、菜の花が呼びかける声や、バラがかすかに笑っている声を聞けるんだろうな。そして小魚は、小川の独唱を聞き、水草とウキクサの合奏を聞いているんだろうな。ぼくは世間でもっとも苦労の多い人間で、チョウや小魚にも及ばないんだ。ああ、少しでも音を聞くことができればなあ」

　耳の聞こえない人は、小さいころから人が話をするのを聞いたことがないので、彼の話し方は他の人に学んだものではなく、そのために声が人とはちがい、用心深く聞かないとただ「ワワワワ」と言っているようにしか聞こえません。

　目の見えない人はとても注意深く、彼はカタツムりの足音やアリとの対話を聞くことができました。耳の聞こえない人の言葉は不明瞭ですが、目の見えない人には分かりました。彼は力のかぎり耳の聞こえない人をなぐさめました。彼は耳が聞こえないのは、苦しみではないと思っていたからです。耳の聞こえない人と話をするとき、口ではうまくいかず、彼に手振りを使って分かってもらいました。目の見えない人はいろんな手振りをします。指で胸を指し、両手を握りしめ、それから右手を振って、「心配することはない」と伝えます。彼は耳を指し、そして続けざまに手を振り、「耳が聞こえなくてもたいしたことはない」と伝え、自分の鼻を指し、そして耳を指して、同時にうなずき、「ぼくは音を聞くことができる」と伝えます。彼は指で周囲を指し、そして耳を指して手を振り、周囲の音はそんなに聞いていて楽しいものではないことを伝えます。彼は自分の深く落ちくぼんだ目を指し、さらに胸元を指して、そして両手を堅く握りしめ、「ぼくには目玉がなく、これこそ悲しいことなのだ」と伝えます。彼は手で周囲をランダムに指し、そして自分の目を指し、手を振り、そして両方の手のひらを外に広げ、「すべてのものが見えないことが、ぼくを苦しめ、悲しませる」と伝えるのでした。

耳の聞こえない人は手振りを見慣れていたので、目の見えない人の言うことがすべて分かりました。彼は答えて、「そんなに悲しむ必要はないよ。二つの目玉がないからといってたいしたことないから。ぼくには目玉があり、何でも見える。けど、何のいいことがあるというの？　目に送られてくるのは、めちゃくちゃなものばかりだ。音こそ、すべてのものの心の奥底から発せられたものだ。ぼくは音が聞こえないから、自分の言葉すら聞こえないのに、悲しむなと言われても無理だよ」と答えました。

目の見えない人はそれを聞き、いろんな手振りをして「ぼくは光があらゆるもののほんとうの姿を照らしだすと思う。光が見えないだけでなく、自分の指すら見えないのに、悲しむなと言われても無理だよ」ということを伝えました。

耳の聞こえない人は、「ぼくは音が聞けるなら、光はいらないのに、耳が聞こえないんだ。きみは光が見れるなら、音はいらないのに、目が見えないんだ。ぼくらの欠けたものを入れ替えたら、お互いとても快適で、普通の人と同じように楽しく過ごせるんじゃないのかな」と言いました。

目の見えない人はそれを聞き、何度もうなずいて、ほほえみを浮かべ、両手を合わせ、仏さまを拝むようすをして、「もしそうなれば、ほんとうにありがたいね」と伝えました。

耳の聞こえない人は、「いろんなところを訪ね歩けば、いつかぼくらの願いがかない、入れ替わる方法が見つかるかも。いっしょに旅に出よう」と言いました。

目の見えない人はうなずき、耳の聞こえない人の手をとりました。彼らは相談し、耳の聞こえない人が道案内を受けもち、目の見えない人の手を引いて歩き、目の見えない人は聞き取ったすべてのことを手振りで耳の聞こえない人に伝えると取り決めました。

彼らはある医者のところに行き、声をそろえて言いました。「ぼくらは、一人は耳が聞こえず、一人は目が見えません。今、入れ替わろうと思っています。耳の聞こえない人は目の見えない人になりたくて、目の見えない人は耳の聞こえない人になりたいのです。あなたはぼくらに力を貸してくれると信じています。ぼくらの願いがかなったら、力のあるお医者さまに必ず心から感謝申し上げます」

医者は首を振り、彼らに答えました。

「私はそんな能力を習得していない。また、そんな願いを聞いたこともない。別の人を探すんだね」

彼らはとても失望して医者の家を出ました。門の外に一人の老婆がいて、彼らを見て気の毒に思い、言いました。

「あんたらがここに来たのはまちがいだよ。ここから西に行くと、森があり、その中に古い寺があって、そこに年老いた和尚が住んでいる。彼は法術ができ、あんたたちの希望をかなえてくれるかもしれない。彼を探しにいきなさい」

彼らはそれを聞いてとても喜び、おばあさんにお礼を言って、西へと向かいました。果たして前方にうっそうとした森が見え、果てしないように見えます。森に入ると、ほんとうに古い寺があって、黄色い塀が古びて灰色になっていました。境内に入ると、本堂に年老いた和尚さまが座っているのが見えました。しわしわの干しナツメみたいで、ひげは雪のように真っ白です。彼らは声をそろえて言いました。

「ぼくらは、一人は耳が聞こえず、一人は目が見えません。今、入れ替わろうと思っています。耳の聞こえない人は目の見えない人になりたくて、目の見えない人は耳の聞こえない人になりたいのです。あなたはぼくらに力を貸してくれると信じています。ぼくらの望みがかなったら、慈悲あふれる和尚さまに必ず心からの感謝を申し上げます」と言いました。

和尚さまは首を振って断りました。

「それは簡単なことではない。私の法術ではきみたちの願いをかなえてあげられない。お戻りなさい」

彼らはどこにも行こうとせず、和尚さまが力を貸そうとしなくても、ひたすら助けを求めました。和尚さまは心を動かされ、穏やかに言いました。

「私はほんとうにできないのだ。でもきみたちの願いをかなえてくれるところを教えてあげよう。さらに西へ行き、森を出たところに定期市が立っている。

その市の南端に古い風車がある。その風車がきみたちを助けてくれるだろうから、探しにいくといい」

彼らはとても喜び、和尚さまにお礼を言って、寺を出てさらに西に行きました。森はますます深くなり、まったく光が全く差しこんできません。目の見えない人はなんとも思いませんでしたが、耳の聞こえない人はとてもたいへんで、目を大きく見開き、目の見えない人の手をしっかりと握って、木に当たらないよう片手で手探りをしながら前に進みました。彼らは歩き続け、汗だくになり、足も痛くなったころ、ようやく森を抜けました。障がいを取り替えたいという気持ちが強かったため、彼らはまったく苦痛に感じませんでした。

樹林が尽きたところには、言われたように市が立っていました。市の南端には、確かに風車があります。風車の羽はとても古く、土がびっちりとこびりつき、壊れている箇所もたくさんあります。風が吹くと羽がギシギシと動き、無理に動いている年寄りのようです。

彼らは誠実に声をそろえて言いました。

「ぼくらは、一人は耳が聞こえず、一人は目が見えません。今、入れ替わろうと思っています。耳の聞こえない人は目の見えない人になりたくて、目の見えない人は耳の聞こえない人になりたいのです。あなたはぼくらに力を貸してくれると信じています。ぼくらの望みがかなったら、ふしぎな風車さまに必ず心からの感謝を申し上げます」と言いました。

風車はギシギシと音を立てて動き、古い蓄音機のようです。

「おまえたちの望みをかなえてやってもよいが、入れ替わらないほうがいいと私は思うね。だれもが自分がいちばん苦しいと思っていて、みんな自分より楽しく生きていると思うものだ。でもほんとうに人の立場になってみても、やはり世界でいちばん苦しいのは自分だと思うんだ。どうしてきみたちは入れ替わる必要があるんだい？」

目の見えない人は手振りで耳の聞こえない人に風車の言葉を伝えました。彼らはすぐさま声をそろえて言いました。

「ぼくらの一人は聞こえるけど、聞きたくなくて、目が見えるようになりたい。一人は見えるけど、見たくなくて、聞こえるようになりたい。ぼくらはこの望みがいいことだと確信していて、入れ替わった後に後悔することはありません。目が見えない者に見る楽しみを味わわせ、耳が聞こえない者に聞く楽しみを味わわせてくれれば、ぼくらの障がいが治ったことになり、ほんとうに功徳を積むことになります。ぼくらのことは考えなくていいですから、すぐに入れ替えてください」

風車は大笑いして言いました。

「きみたちのためを思って言っているのに、信じないのかね。もしきみたちを入れ替えてあげなかったら、私がきみたちを助けなかったみたいじゃないか。でも私は前もって言っておかねばならない。私はきみたちを入れ替えることができるだけで、元に戻すことはできないよ。もし入れ替えた後、きみたちが満足せずに、もう一度元に戻りたいと思っても、私にはできないからね」

目の見えない人はきっぱり答えました。

「私の願いは光を見ることで、光はあらゆるものの真の姿を照らすことができます。光さえ見られれば、私は幸せで、後悔することなどありえません」

耳の聞こえない人はきっぱり答えました。

「私の願いは音を聞くことだけで、音はあらゆるものの心の奥底から発せられるものです。音が聞けさえすれば、私は幸せで、後悔することなどありえません」

風車は老人がうなずくように、羽をコトンコトンといわせました。「きみたちの意志はとても固いようだ。ではきみたちの望みをかなえてあげよう。もう少し近くに立って、私が三回まわるのを待ちなさい。そうすればきみたちは入れ替わっている」

目の見えない人と耳の聞こえない人はとても喜び、すぐさま風車の前に飛んでいきました。ギシギシギシと風車の羽が三回まわると、彼らはたちまち入れ替わりました。目の見えない人の目にとつぜん二つの目玉が突きでてきて、彼は形容しがたい光がキラッと輝くのを感じ、光や、すべてのものを見ることができるようになりました。同時に彼はもう音を聞くことができなくなったのです。耳の聞こえない人の耳にとつぜん戸を開いたように、形容しがたい音がして、その音を感じた後に、音が聞こえ、あらゆるものの心の奥底からの話が聞こえるようになりました。同時に彼はふたたび光を見ることができなくなったのです。

これから後、われわれは便宜上、もとの目の見えない人を「新しい耳の聞こえない人」、もとの耳の聞こえない人を「新しい目の見えない人」と呼びましょう。これからは、新しい耳の聞こえない人は新しい目の見えない人の手を引き、新しい目の見えない人は新しい耳の聞こえない人に手振りで意味を伝えます。彼らは風車にお礼を言って、定期市へと向かいました。

おかしなことに、市にいた人はみんな、彼らが入れ替わったこと、つまり、目の見えない人が耳の聞こえない人になり、耳の聞こえない人が目の見えない人になったことを知っているようです。彼らが行ったところはどこでも、ひと騒動が起きました。

新しい耳の聞こえない人は、人の姿を見ることができるようになり、とても新鮮に感じたので、事細かに観察しました。これらの人々は彼らを指さし、顔には軽蔑の笑いを浮かべていました。口がみな動いていて、聞こえなくても、以前の経験から、すべて彼ら二人をあざけっていることが分かります。彼は「世界にこれほどまでに耐えがたい笑顔があるとは思わなかった。彼らがこんなふうに笑うのは、まちがいなく自分たちが健全で、幸福で、だから誇りに値するということを示している。ぼくらのように障がいがあり、不幸な人間は、恥ずかしいと思うべきなのだろうか？　このような笑いを見るとはほんとうに悔やまれる。昔のように目玉がなければこのようや笑いを見ないですんだのに！」と思いました。彼は、すぐさまそこから離れようと、新しい目の見えない人の手を引いて走りました。

この時、新しい目の見えない人の耳には、これらの人たちが何を言っているのかが聞こえていて、これは彼にとってとても新鮮なことだったので、とても用心ぶかく聞いていました。これらの人はおどけた声で彼らをあざ笑い、「こりゃ、おもしろい。目の見えない人が耳の聞こえない人になり、耳の聞こえない人が目の見えない人になった。でも障がいからは逃れられないと見える。見ろ、一人が一人の手を引き、眉をしかめ、耳をそばだてている。なんてみにくいんだ」と言っていました。新しい目の見えない人は、これらの人の表情は分からないものの、今までの経験から、周囲がすべて冷やかしの表情であることを知っていました。

「世界にこれほどまでに耐えがたい話があるとは思わなかった。彼らがこんなふうに笑うのは、まちがいなく自分たちが健全で、幸福で、だから誇りに値するということを示している。ぼくらのように障がいがあり、不幸な人間は、恥ずかしいと思うべきなのだろうか？　こんな話を聞いてしまったことはほんとうに悔やまれる。それもようやく音が聞こえるようになったばかりだというのに、こんな話を聞いてしまうとは！」

彼は新しい耳の聞こえない人を押して、早くここから離れようとせかしました。

彼ら二人は一人が押し、一人が引っ張って、馬のように速く走りました。

なにか疲れきったような声を耳にして、新しい目の見えない人は足を止めました。多くの人があえいでいて、それも年寄りばかりであるようです。ハアハアという呼吸の音はまるで破れた皮のボールを絞り出すようで、その中にはせきや痰の音もまじっています。彼はまた、重い足音や、担ぎ荷がゆれ、瓦やレンガを運んでいる人がいるのを聞きました。どれもさっきのあえぎ声ほどひどくはありませんでしたが、全身に耐えがたさを感じました。彼はそのような音を二度と聞きたくありませんでしたが、もう彼は耳の聞こえない人ではないのです。

目の見えない人が立ちどまると、耳の聞こえない人も立ちどまりました。彼は多くの年寄りが、土けむりが立つレンガと瓦の工場で働いているのを見ました。彼らは重い瓦やレンガを担ぎ、背中はカギのように曲がっています。けんめいに力を出しているため、やせた顔はどす黒くなり、全身汗だくで、油を塗ったようにテカテカ光っています。足はほとんど動かず、一歩踏ん張り、プルプルと震え、ようやくまた一歩を踏み出しています。こうした光景は新しい耳の聞こえない人を悲しい気分にしました。彼は新しくできた目玉が湿っているのを感じ、これが健常者の言う涙が流れるということなのだろうと思いました。酸っぱいようなしびれるような感覚が心の奥底から目や鼻に突き出てきて、とてもつらく感じました。二度とこのような光景を見たくないと思いましたが、彼はもう目の見えない人ではないのです。

その結果、また一人が押し、一人が引っ張って、逃げるように走り去りました。

新しい耳の聞こえない人は失望して、「私が新しく得た目玉はもう二つも不快なものを見てしまった」となげきました。彼は新しい目の見えない人に「きみの運はどうだね？　すてきな音を聞いたかい？」と聞きました。

新しい目の見えない人は耳を指さして二本の指を立て、眉をしかめて頭を振り、「耳のくさりが解けてから、もう二つもふゆかいな音を聞いたよ」と伝えました。

新しい耳の聞こえない人は、「だから言ったろ？　世界にいい音なんてありゃしないって。やっと信じたかい？」と言いました。

新しい目の見えない人はまた手振りで、「ぼくもきみに世界には何も見る価値のあるものはないって言っただろう。やっと信じたかい？」と伝えました。「お互いを責めるのはやめよう。ぼくらの楽しさはぼくらの希望の中にあるんだ。もっと先に進もう。きみがすてきな音を聞き、ぼくがすてきなものを見れることを祈って」

新しい耳の聞こえない人の話を聞くと、新しい目の見えない人はうなずいて、賛意を示しました。彼ら二人は軽い足取りでまた前へと進みました。

とつぜん、恐ろしい赤い色が新しい耳の聞こえない人をおどろかせました。彼は何だか分かりませんでしたが、自分の心の中の血が口から吹き出たように感じました。頭がボーッとし、両足は釘で打ち付けられたかのようにまったく動きません。ようやく落ち着いたとき、彼は一頭のブタが、汚い板の上に横たわり、胸から血を流しているのを見ました。畜殺人がその胸からキラキラ光るとがった刀を抜き取りました。新しい耳の聞こえない人はたくさんの刀で体を刺されたかのような苦痛を感じました。さらに半身のブタが横木の上にかけられているのを見ました。ブタの口の中の牙がむきだしになり、人をかもうとしているかのようで、目は半開きでこっそりと人を見ているようです。新しい耳の聞こえない人は恐ろしくなり、また頭がボーッとしてきました。彼は両手で目をおおって、「もう見たくない！」と叫びました。

　このとき、新しい目の見えない人はとつぜんするどい悲鳴を聞いて、彼の心が冷たい矢で射られたかのように感じました。少し間をおいて、彼は続けざまに泣き叫ぶような声を聞き、全身がブルブルと震えました。続いて、彼はまた、血が吹きでる音を聞き、血が鉢に流れる音も聞こえました。ブタの叫び声はどんどん弱くなり、断末魔のあえぎだけになりました。新しい目の見えない人はそれを聞き、とても怖くなり、肝をつぶしました。彼は両手で耳をおおって、「もう聞きたくない！」と叫びました。

　一人が「見たくない」と叫び、一人が「聞きたくない」と叫んだのは、まさに同時でした。

新しい耳の聞こえない人の叫びを聞き、新しい目の見えない人は手振りで自分の気持ちを新しい耳の聞こえない人に伝えました。

新しい耳の聞こえない人はおどろいて言いました。

「きみももう聞きたくないって？　じゃあ、ぼくらには何の希望もなく、楽しみも味わえないのかい？」

新しい目の見えない人はうなずき、「確かにそうだ」と手振りで伝えました。

彼ら二人は痛ましくそこに立っていました。新しい耳の聞こえない人は見えるようになったばかりの目をおおい、新しい目の見えない人は聞こえるようになったばかりの耳をおおいました。二人はそのまま手を放そうとせず、永遠に放そうとしませんでした。ふしぎな風車はもう彼らをもとの状態に戻すことができないからです。

一九二二年四月十日

克宜くんの体験

克宜くんは農家の子どもです。彼は両親を助けて畑を耕し、小さな鋤を振るうことができ、稲や麦の種類を見分けることができ、土地や肥料の性質を見分けることもできました。どんな鳥が農夫のために害虫を捕まえてくれるか、どんな風が吹くと眠った草花が目を覚ますか、彼は完全に知っていました。早朝に畑に出て、まず早起きの太陽にあいさつをします。夜寝るとき、お月さまが彼につき添い、甘美な夢で彼の全身を軽くおおいます。彼は楽しくないと感じたことがなく、楽しくないとはどんな感じなのか、まったく知りませんでした。

都会から戻ってきた人が、克宜くんの両親に言いました。

「都会は本当におもしろく、そのおもしろさは私たちには想像がつかないほどだ。今回私は一とおり味わい、まるで美しい雑然とした夢を見たかのようで、どんな楽しさだか言葉にはできないが、確かにとても楽しかった。私たちはもう年老いたし、そのような楽しい場所に住む必要はないが、子どもたちはまだ若く、彼らをそこに住まわせないわけにはいかない。さもないと、私たちは幸福を彼らに教えてあげることができず、申しわけがたたないよ」

克宜くんの両親はそんな話を聞き、とても心を動かされました。そこで、彼らは克宜くんに言いました。

「となりのおじさんが都会から戻ってきて、そこは言葉にできないほど楽しいと言っていたよ。おまえはまだ年若い子どもだから、そこに行って住んでみて、楽しさを味わうべきだ。私たちはおまえを愛しているし、幸福がどこにあるか知っているので、おまえに教えてあげる必要がある」

克宜くんはとても親孝行な子で、両親の言うことに従わなかったことはありませんでした。今回、両親が彼を都会に行かせようとしたので、彼はもちろん素直にそれに従いました。

両親はまた、「おまえが行くと言うなら、手にもった鋤を放して、早く行動しなさい」と言いました。

克宜くんは鋤を放し、両親に別れを告げ、自分の家の田畑を離れ、数歩歩いたものの、別れがたく思い、また戻ってきました。彼は畑の作物たちに別れの言葉を言い、また鳥たちと別れの歌を合唱しました。彼は風に向かって、「遠いのがいやでなかったら、しばらくぼくを送ってくれよ」と言いました。彼は太陽に向かって、「数日後にまたおはようとあいさつするよ。戻るときにお月さまに会ったら、ぼくのことは気にせず、あまり悲しまないよう言っておいてくれるかな？」と言いました。

友人一人ひとりにすべて別れを告げて、克宜くんはようやく前に向かって歩きはじめました。風は彼の話を聞いて彼についていき、田畑の花の香りを次々と運んできました。彼はまだ田畑を耕しているような気がしました。

克宜くんはしばらく歩くと、ちょっと疲れたので、大きな木の根元に座って休みました。風が吹き寄せ、花の香りを運んでくれます。彼は次第にうつらうつらとしてきましたが、とつぜん、頭上の軽くかすかな羽の音で目を覚ましました。彼が頭を上げて見てみると、トンボがクモの巣にからまっています。

よく聞いてみると、トンボは彼に助けを求めていました。

「善良な若者よ、私を助けてくれ。私はクモの巣にかかり、もう長いこと逃げだせないでいるんだ。

網の真ん中にはあの魔王が私を食べようと待ち構えている。善良な青年よ、あなたがちょっと手を上げてくれれば、私は助かる。どうか助けてくれ！」

克宜くんはそれを聞くとトンボがかわいそうになり、木の枝を一本拾い、それで軽くはらうと、トンボは網から抜けだすことができました。

トンボは小さな丸い筒のような鏡を取りだし、克宜くんに言いました。

「この鏡は私たちトンボの目と同じもので、人の目では見えないものを見ることができるんだ。事物の将来の姿を知りたければ、この鏡に映してみればすべて分かる。きみは私を救ってくれたので、この鏡をお礼にあげよう」

トンボは言い終えると、羽ばたいて飛んでいきました。克宜くんは鏡をしっかりしまって、もう休むことなく、一気に都会へと入っていき、ある店の見習い店員となりました。

お店で、克宜くんはものすごくたくさんのものを知りました。すべて以前には見たことがないものです。一つは四角い箱で、その上でいくつかの針が自動で動いていて、一定の間隔で鐘の音が出ます。人がそれを「時計」と呼ぶのを彼は聞き、また五回、六回と鳴るときは早朝で、夜に十二回鳴ると夜半だと人が言っているのを聞きました。吊り下げられたたくさんの灯りは、油を注ぐ必要も、火をつける必要もありません。人がこれを「電灯」と言っているのを彼は聞きました。夜になると自然に明るくなり、夜が明けると自然に消えます。街頭には二つの輪がついたものの上に座っている人がいて、これには二つの長い柄がついていて、一人がそれを引っ張って走っています。彼はこれが「人力車」というものであることを知りました。背が低く幅が広い怪物がいて、夜になると怪物の巨大な目からピカッと光が出て、数人をのせて走っていきます。彼はこれが「オートバイ」というものであることを知りました。ガラスの小屋があり、中にたくさんの人がひしめいていて、人が引く必要も、牛が引く必要もなく、低くて幅が広い怪物と同じように、それ自体が走ることができます。彼はこれが「電車」というものであることを知りました。

しかし彼は旧友たちを見かけることはありませんでした。田畑の作物、香りを放つ土、飛べて歌える鳥たち、花の香りを運ぶ風、都会の中ではだれも見つけることができません。新鮮なものはおもしろいですが、彼は心から旧友たちを懐かしく思いました。

翌日早朝、彼はベッドの中で目覚めましたが、いままでは目覚めるととても明かるかったのに、なぜか真っ暗です。まだ夜が明けていないのでしょうか。あまりに早く目覚めてしまったのでしょうか。彼はいぶかしく思い、窓辺に歩み寄って外を見ると、街も暗く、電灯はまだ消えておらず、薄明るい光を放っています。彼はまだ夜なのだろうと思いましたが、時計が鳴りだしました。一回、二回、……六回。もう早朝にちがいありません。

早朝の太陽はどこへ行ってしまったのでしょう。どうして、やってきて彼にあいさつしないのでしょうか。起きたら何かしなきゃいけないけど、今は何をするべきなのでしょうか。彼は耐えきれないほどの重苦しさと圧迫を感じ、とても不快でした。しかし暗やみが彼を取巻いています。どうしたらこの暗やみの包囲を打ち破り、のんびりと一息をつくことができるのでしょうか。

口をすすぎたくても、水がどこにあるか分かりません。顔を洗いたくても洗面器とタオルがどこにあるか分かりません。彼はただ黙って大海のような暗やみの中に座り、味わったばかりのふゆかいな味をしみじみとかみしめました。時計が七回鳴り、八回鳴ると、ようやく淡い光が窓から入ってきました。

すべてが静まりかえり、時計のコチコチという音が鳴りつづけているだけです。

彼が家にいたときのことを思いだすと、こんどは耳の中にうれしい音がいっぱいに鳴り響きました。朝風が村や田んぼの中で低い音をたて、鳥の群れが太陽を迎える賛歌をうたい、田畑で働く仲間たちとやりとりをし、合間には水車の回るギイーッという音や、鋤が地面に当たるパンパンという音がします。村のニワトリがさかんに鳴き声をあげ、黄牛も時に長く鳴きます。こうしたことを思いだすと、彼はここの静けさや、室内外の冷たさがさらに耐えがたくなり、まるでお墓の中のように感じました。仕方ないので、彼はトンボがくれた鏡を取りだし、これがどんな神秘的な力を持つのか知ろうとしました。

彼は鏡を手にとり、親方や兄弟子たちのベッドに目を向けると、彼らの帳はすべて下がっていて、みなまだ夢の中でした。鏡で映し、彼らがどのような姿をしているのかを見てみれば、きっとおもしろいにちがいありません。彼は親方の一人の帳を開け、鏡を目に近づけて映してみました。恐ろしいことに、その親方は骨と皮だけで、顔には血色がなく、恐ろしいほどに白いではありませんか。これでは死人と同じです。彼は怖くなって見るのをやめ、すぐに帳を下ろしました。「別の人も見てみよう、すてきな姿を見ることができるかもしれない」と彼は思いました。そこで、太った兄弟子を選び、彼の帳を開き、鏡を目に近づけ、映してみました。恐ろしいことに、その兄弟子もやせて骨と皮ばかりになり、顔には血色がなく、恐ろしいほどに白かったのです。これでは死人と同じです。彼は怖くなって見るのをやめ、すぐに帳を下ろしました。

好奇心にかられて、彼は寝ている全ての人を鏡に映してみましたが、みんな恐ろしくて二度と見る気にはなりませんでした。「ここはいい場所ではないな。彼らが将来こんな姿になるのを見てしまったもの。やっぱり早くここを離れたほうがいい」と彼は思い、この店を離れ、ある病院で研修生となりました。

病院の中で、克宜くんは初めて病気の人を見て、薬の匂いを嗅ぎました。彼が当直当番となったある夜、ある病室の世話をまかされました。病室には八つのベッドがあり、すべてに患者が横たわっていました。夜がふけて、時計が一回鳴りました。窓の外には木の葉が風にゆれる音がするだけで、そのサラサラという音は、彼を少しおびえさせました。室内では、とつぜん叫びだす人、震え声を長く引き伸ばす人、力なく低くうめいている人、だれも答えてくれないのに絶えずお母さんを呼んでいる人などがいます。克宜くんはこれを聞き、とてもつらくなりました。これまでに経験したことのないすさまじさに、彼は取り囲まれていました。

病院の人の話を聞くと、病室にいる八人のうち、四人は電車から振り落とされてケガをし、二人はオートバイの運転ミスで別の車に衝突したケガ人のようです。いちばんひどいケガをした人は、腿の骨が折れたのを医者がつなげ、板をくくりつけ、じょうぶな枠に固定して、痛みのあまり動いても抜けないようにしてあります。「ママ、来てよ。ママ、早く!」と叫びつづけているのは、まさにこの患者です。

克宜くんは、このようなすさまじい声と光景にたえかね、トンボが彼にくれた神秘的な鏡を取りだしていじくっていました。電灯の光が室内を青白く照らしています。何か映すものはあるかしら? ここにいるのはこの八人の患者だけです。彼は鏡を手に持ち、目に近づけて患者を見ました。ものすごく変です。彼らの足は細く、小さくなり、ニワトリの足のようです。鏡を離してみると、彼らは普通の人と何ら変わりません。

克宜くんは奇妙に思い、納得できませんでした。医者が患者の診察にやってきて、そのうしろには数人の助手が続いています。克宜くんは、彼らはみんな健康な人なので、鏡に映してみても何の変化もないだろうと思いました。彼はこっそり鏡を取りだし、目に近づけてみました。ものすごく変です。彼らの足は細く小さくなり、ニワトリの足のようで、八人の患者とまったく変わりがありません。鏡を離してみると、彼らは普通の人と同じように見えます。

「ここはいい場所ではないな。彼らの将来の足をはっきり見てしまったもの。やっぱり早くここを離れたほうがいい」と彼は思い、病院を離れ、ある劇場の係員になりました。

夜の部が開場すると、そうぞうしい音楽、耳をつんざく歌声に、彼の頭はくらくらしました。満入りの観客は、ちょうど身を入れて見ていて、それぞれ喜びの表情を浮かべています。男はタバコをすい、女は香水をたっぷり含ませたハンカチを振り、食べたり、話をしたりしている人もいて、みんな気持ちよくくつろいでいるようです。役者がひとしきり歌い終えると、拍手をして、自分が鑑賞眼のある通であることを他の人に見せつけます。

克宜くんは喝采の声を聞きながら、耳にとてもつらく感じ、タバコや香水が混じりあった人々の匂いをかぎ、鼻も不快に感じました。手のひらやこめかみが少し熱く、ちゃんと立っていられません。「この仕事で疲れたのだろう。神秘的な鏡を取り出して、気分転換しよう」と思い、トンボから贈られた鏡を取りだして、目に近づけました。

おかしな光景が鏡に出現しました。観客はみな骨と皮ばかりで、顔には血色がなく、恐ろしいほど白く、足は細く小さく、ニワトリの足のようで、病院で見た人たちとまったくいっしょです。彼らは歩くことも、働くこともできず、何も食べられず、死を待つばかりです。鏡を放して見てみると、そこには身分が高く、のんびりくつろいだ観客がいるだけです。

彼はもう二度と見ようとはせず、すぐに劇場から抜けだしました。「ぼくはどうしてまだ帰らないのだろうか。都会の人たちの将来の運命をはっきり見てしまったというのに」と彼は考え、夜を徹して、道が真っ暗なのにもかまわずに、自分の故郷へと戻りました。

空がようやく白みはじめたころ、彼は自分の家の田畑のそばにたどりつきました。朝風が軽く吹き寄せ、新鮮な花の香りを運んできます。彼は「ぼくのよい友だちの風さん、行きに見送ってくれ、帰りにも迎えにきてくれたね！」と喜びの叫びをあげました。太陽が遠くの地平線から最初の光を放ち、大地のあらゆるものに生気がみなぎりました。彼は「ぼくのよいお友だちの太陽さん、ぼくはまたあなたにあいさつに来たよ。お月さんは元気？ 昨夜彼女とぼくのことを話した？」と叫びました。鳥たちは早くからとてもにぎやかに歌っています。彼は「鳥さんたち、ぼくのよいお友だち、歌っているね。またぼくはきみたちのチームに戻ってきたよ！」と叫びました。田畑の作物がいっせいに彼におじぎをしました。彼は感動して涙を流し、喜びで言葉にもならず、ただぶつぶつと、「ぼくの宝物……ぼくの宝物」とつぶやいていました。

家に戻って両親に会おうと思ったとき、彼はとつぜん神秘的なおもちゃを思いだしました。ここで映してみたら、どうなるだろう？ 彼はトンボに贈られた鏡を取りだし、目に近づけてみると、うれしくて大声で叫びました。

「未来の田野はとても美しく、とてもおもしろい！ ほんとうにこんな日が来るのかな？」

一九二二年四月十二日

足を引きずったおもらいさん

毎日街角で目にするあの足を引きずったおもらいさんは、とても年老いています。ボサボサの真っ白な髪がこめかみや眉毛にかかり、両目は低くくぼんだ眼窩の中で暗い光を放っています。顔はしわくちゃで、顔色は古銅のようです。ぼろぼろの服のえりの中から首がのぞいていて、筋が浮き出て、コノテカシワの老木の幹のようです。彼の左足はいつもよじれていて、地面につかず、左脇にはさんだ木の枝でようやく体を支え、かろうじて転ばないでいます。

彼は道を歩いて、家や店の前に立ち止まっては、あわれなかすれた声を出し、「お情けをおかけくださいませ、善良な紳士、ご婦人がた」と言います。人々はいつでもいやそうな口調で、「また来たよ、いやらしい年寄りおもらいさんが」と言い、小銭をいやいや彼に放りなげてやります。小銭がレンガのすきまや、溝の中に落ちてしまうこともあります。すると、彼は身をかがめ、目を大きく見開いて、飛びだした小銭を探します。ようやく探し当てると、彼は家を変えて、ふたたびあわれなかすれた声を出し、「お情けをおかけくださいませ、善良な紳士、ご婦人がた」と言うのです。

街にいる子どもたちだけは、彼のことが大好きです。彼はおもしろい話をたくさんしてくれるので、ボール遊びをしたり、鬼ごっこをしたり、他の遊びをしたりしたいとは思わず、彼のひげだらけの口を期待でいっぱいの顔でながめ、そこからすばらしい世界や神秘的な人物が出てくるのを待ち受けています。太陽が沈み、月が出てくるころになると、彼はいつも大きな木の下に座って休みます。鈴を鳴らす必要も、鐘をつく必要もありません。街にいる子どもたちは自然にここへ集まってきて、彼を取り巻きます。こうして、彼のお話が始まるのです。

足を引きずったおもらいさんのするお話を、子どもたちはみんなよく覚えています。彼自身の物語、どうして左足が不自由になったのかも、子どもたちに話して聞かせたことがあります。これは、子どもたちが私たちに教えてくれた彼の物語です。

彼の父親は、かんおけ職人でした。彼が十三、四歳のとき、父親は彼に「おまえもだんだん大きくなってきたので、手に職をつけねばならない。おれの仕事を学び、かんおけ職人になれ」と言いました。

「いやだよ」と彼は答えました。

「街でかんおけを運んでいると、いつでも人にツバを吐かれるんだ。みんなかんおけが嫌いみたいだ。もしかんおけ職人になったら、一生かんおけといっしょにののしられるから、なりたくない」

父親は怒って言いました。

「おまえはおれに逆らうのか。おれはまさにそのかんおけ職人だが、いつ人がおれを見てののしったり、嫌ったりしたというんだ?」

「ぼ、ぼくが父さんが嫌いで、ののしるんだよ。まともな人間が、他のものをつくらず、木の箱をつくり、人間を一人ひとり中に入れちゃうなんて!」

父親の怒りは頂点に達し、手に持った斧を彼の頭に振り下ろしました。幸い、彼の両手は機敏だったので、斧の柄をつかみ、「木のように息子を真っ二つにしないでよ。ぼくは木じゃない!」と叫びました。

父親は手をさえぎられ、怒りもおさまり、「命はとらないでおいてやろう。しかしおれの後を継がないと言うなら、おまえはもう息子ではない。今すぐここを出ていけ。再びこの家の門をくぐることは許さん！」と言いました。

彼はこうして家を追いだされました。おなかがだんだんすいてきて、何か手に職をつけないと、と思いました。でも、何をしたらいいでしょう。とりあえず何のアイデアもありません。彼は道を歩きながら、何かやりたいことがあるかどうか、見て歩きました。

一人の子どもが建物の窓の上に腹ばいになって、街の向こうにある太陽をながめていて、天真爛漫に言いました。「そろそろ時間だ。パパの心、パパの手紙が、緑の服を着た人の背負いカバンの中にあるはずだ。人々をなぐさめる緑の服を着た人、早くおうちの玄関に来て！」と言いました。

彼は子どもの言葉を聞き、深くうなずいて、前に歩きつづけました。

低い竹垣の中に一間の書斎があり、窓が開いています。青年が中に座り、机の上にうつむいて、何かを書いています。とつぜん頭を上げると、壁にかかった時計を見て、希望たっぷりに言いました。

「そろそろ時間だ。友だちの心、友だちの手紙が、緑の服を着た人の背負いカバンの中にあるはずだ。人々をなぐさめる緑の服を着た人、早く私の竹垣の外にやってこい！」

彼は青年の言葉を聞いて、さらに深くうなずき、前に歩きつづけました。

道ばたに公園があり、若い女性がベンチに座り、向かいの花壇の花をぼんやりとながめています。木の上で鳥が鳴いて、彼女はハッと正気に返りました。彼女は周囲を見わたし、「そろそろ時間だわ。彼の心、彼の手紙が、緑の服を着た人の背負いカバンの中にあるはずよ。人々をなぐさめる緑の服を着た人、早く私の家に来て！」とひとりごとを言い、立ちあがって、そそくさと歩み去りました。彼女の足どりの軽さから、彼女の希望がいままさに火のように燃えあがっているのが分かります。

若い女性の言葉を聞き、彼はうれしそうに手を叩き、「ぼくは職業を決めたぞ！」と言いました。

彼は郵便局の中に駆けこみ、緑の服を着た配達人になりたいと言いました。郵便局はそれを許し、彼に緑の服と緑の背負いカバンを与えました。彼は緑の服を着て、緑のカバンを背負って、街角でよく見かける緑の服を着た人とまったく同じ格好になりました。

彼は緑の服を着た人になると、他人よりも速く歩きました。彼は手紙を受け取ると急いで背負いカバンの中に入れ、カバンはパンパンにふくれあがり、太った人のお腹のようになりました。彼はすたすたと歩き、手紙を待ち受けている人に手渡し、さらにていねいに、「あなたのなぐさめ、あなたの希望が来ましたよ。早く開けてみなさい」と言い添えました。言い終えるとすぐに、次の手紙を待っている人の前へと急ぎました。

人々はみな彼が大好きでした。彼の手から手紙を受け取ると、手紙によるなぐさめ以外にも、まず彼の言葉によってなぐさめが得られ、そのために彼が配達した手紙だけを受け取りたいと人々は願いました。また人々は、送る手紙も彼が持っていってくれれば、手紙を受け取った人も同じように特別なぐさめを受けることができるだろうと思い、みな手紙を彼に手渡すのでした。

彼の背負いカバンは、空気をパンパンにつめた風船のように、どんどんふくれあがりました。他の緑の服を着た人の背負いカバンは、おもらいさんのおなかと同じように、どんどんへこんでいきました。彼は重いカバンを背負い、羊のように走り、疲れを知らず、休もうとも思いませんでした。

道のかたわらに家が一軒あり、藤が門の枠にいっぱいにからんでいて、仙人が住む山のほら穴のようでした。彼がこの家の前を通り過ぎるとき、いつも娘さんがそこにいて、心配そうに「あなたのカバンの中に彼の心はある？」と聞きました。彼が不安そうに「ごめんなさい、彼の手紙はありません」と答えると、娘さんは両手で顔をおおい、傷ついたように泣くのでした。

娘さんが待ちこがれているのは恋人の手紙で、それは彼女の恋人の心でもあります。恋人が彼女から離れ、どこへ行ったのか彼女は知らず、一通の手紙も来ません。彼女は毎日家の前で、このすてきな緑の服の人が通りかかるのを待ち受けています。しかし彼女は結局悲しんで泣き、両手で顔をおおうのです。

この日も彼がこの家の前を通りかかると、娘さんがいつもどおり悲しそうに問いかけました。彼はまた、「ごめんなさい、彼の手紙はありません」と答えるしかありません。娘さんはほとんど気を失いそうなようすで、ただむせび泣いています。しばらくしてようやく泣きやんだかと思うと、息もたえだえに、「三年前の今日、彼は私のもとを離れたの。まるまる三年、何の便りもなく、彼の心がどこにあるのか分からないの」と言い、さらに激しくむせび泣くのでした。

彼はそれを聞いてとてもつらくなり、娘さんをなぐさめて言いました。

「どうか泣かないで。涙がなくなったらたいへんです。私が必ずあなたの代わりに探しにいき、あなたが必要とする彼の心を持ち帰ります。三日間、三日もかかりませんから」

娘さんは泣きやみ、彼に向かってうなずいて感謝の意を示し、涙にぬれた目には希望の光が輝いていました。

彼は昼夜を問わずに歩いて、昼間も太陽が見えず、夜も月明かりが見えない森を抜け、水も草もない砂漠を過ぎ、毒蛇や猛獣がいる険しい山をのぼり、ようやく娘さんの恋人がいる場所へとたどりつきました。彼は娘さんの恋人に、娘さんがどれほど恋しがっていて、悲しんでいるか、どのように泣いているかを話しました。娘さんの恋人は感動し、すぐにとても長い手紙、とても誠意があり、心のありったけがこめられた手紙を書きました。書き終わると、その娘さんに渡してくれるようにと彼に託しました。

手紙を持って、毒蛇や猛獣のいる険しい山をのぼり、水も草もない砂漠を過ぎ、昼間も太陽が見えず、夜も月明かりが見えない森を抜け、娘さんの家の前にやってくるまで、往復でちょうど三日かかりました。

娘さんはすでに家の前で待っていて、彼を見るとすぐに、「私が必要としている心、私の必要としている心はどこ？」と聞きました。彼は何も言わずに手紙を娘さんに渡しました。娘さんはすぐに手紙を開けて読み、読み進むほどに笑顔になり、最後まで読みおえると、うれしそうに「彼は私を愛している。彼はまだ私を愛しているのよ！　すてきな緑の服の人、あなたのお手伝い、ほんとうにありがとう！」と言いました。

「なんてことないです。あなたがなぐさめられるなら、何でもやりますよ」と彼は喜んで答えました。

彼は郵便局に戻りました。郵便局は、彼が三日配達をしなかったので、罰として一か月分の給料を差し引きました。彼は依然として羊のように走り、人々になぐさめを届けていました。

街角で、彼がよく出会う子どもがいます。その子が彼を呼びとめて、「私は去年お友だちだったツバメちゃんに送る手紙を持っているの。持っていってください」と言いました。彼はすまなそうに「申しわけないけど、私はツバメちゃんがどこに住んでいるか知らないので、あなたの代わりに持っていくことはできません」と答えました。その子どもはぼうぜんと立ち、友だちをなくした苦しそうな表情を浮かべました。

その子の友だちのツバメちゃんは去年、子どもの家に住んでいました。彼らは同じ屋根の下でいっしょに歌い、草地の上で遊び、一刻たりとも離れることがありませんでした。でも、秋が来たとき、ツバメちゃんは悲しそうにその子に言ったのです。

「あなたとお別れしなきゃいけない。ぼくの家族が引っ越しをするんだ」

子どもはいやでしたが、仕方ありません。ただ涙を浮かべ、お友だちが去るのを見送りました。ツバメちゃんが去った後、その子はとても恋しくて、手紙を書いて、すてきな緑の服の人に届けてもらおうと思ったのです。でも、彼女はただぼうぜんと立ち尽くし、友だちをなくした苦しそうな表情を浮かべています。

この日、彼が手紙を届けるために表通りを歩いていると、ある女性が彼を呼びとめ、泣いて、悲しみのあまり話もままならないようすで、手紙を一通、彼の背負いカバンの中に入れました。見てみると、それは子どもが毎日手に持っていた手紙で、表面にはたくさんの指の跡が残っています。彼はその女性に、「お子さんはどうしたんですか?」と聞くと、女性は涙をおさえながら彼に頼みました。

「私の子どもは病気で、倒れてベッドの上にいます。うわごとで、この手紙を送ってくれるよう頼むのです。どうか代わりに持っていってください。どうかわが子を気の毒と思って!」

そう言いながら、目からは涙があふれ落ちています。彼はそれを聞くととてもつらくなり、女性をなぐさめて言いました。

「泣かないで、帰ってお子さんのそばにいてあげてください。私が必ずツバメちゃんを探して手紙を届けますから。戻ってお子さんに安心するように言ってください」

女性は泣きやみ、彼に「ありがとう」と言って、慈愛に満ちた顔に笑みを浮かべました。

そこで彼は昼も夜も歩きつづけ、高く大きい木が生えている灼熱の場所を通り、強風が吹き高い波が立つ海洋を渡り、ようやくツバメちゃんがいる島を探し当てました。彼はツバメちゃんに手紙を渡し、子どもがどれだけ彼のことを想っていて、病気になってしまったかを伝えました。ツバメちゃんはうれしそうに羽をばたつかせて言いました。

「ぼくも彼女に手紙を書いたんだけど、届けられなくて、恋しさのあまり病気になりそうだったよ。せっかく来てくれたのだから、ぼくの手紙も持っていってよ」

彼はツバメの手紙を持ち、強風が吹き高い波が立つ海洋を渡り、高く大きい木が生えている灼熱の場所を通り、子どもの家にたどり着くまで往復で五日かかりました。

子どもは彼を見て、すぐさま「私の手紙、私の心を届けてくれた？」と聞いたので、彼はツバメちゃんの手紙を子どもに渡し、「これはきみが思ってもいなかったものだよ」と言いました。子どもはすぐに開けて読み、うれしくて跳びはねて、「彼はすぐに私に会いにきてくれるって！　すてきな緑の服を着た人、手伝ってくれて、ほんとうにありがとう！」と叫びました。

「なんてことないさ。きみがなぐさめられるなら、何でも喜んでやるよ」と、彼はうれしそうに答えました。

彼は郵便局に戻りました。郵便局では、彼が五日間配達をしなかったので、罰として二か月分の給料を差し引きました。

ある日、彼は手紙を届ける途中、街角で、猟銃をかかえて籐のいすで居眠りをしている狩人を見かけました。その近くには撃ち殺された野獣が積まれています。とつぜん、「急ぎの手紙があるんだ、送ってくれないか」と弱々しく彼に呼びかける声を聞きました。よく見てみると、まだ死んでいない野ウサギが一匹いて、血が灰色の毛皮にべっとりとつき、とても悲惨なようすで、眼も大きくあけていることができず、前足には手紙が一通握られていました。

彼が野ウサギに「どうしたの？」と聞くと、野ウサギは痛みをこらえて言いました。

「銃弾に当たり、死にそうなんだ。ぼくが死ぬのはかまわないけど、たくさんの仲間たちのことが心配で。ぼくらはここ数日、春のパーティを開いていて、集まって森の中で楽しんでいたんだよ。でもさっき、この居眠りしている人が、『あのへんは獲物が多いので、明日は何人か友人を誘って、もっとたくさん獲物をとろう』と言っているのを聞いたんだ。ぼくは、死は恐れるに値しないと思ったけど、この速達の手紙で、仲間たちに、楽しみにふけっていないで、災難が間もなくやってくるから、すぐに避難するように伝えようと思って」

野ウサギの声はどんどん弱くなり、話し終えると、四本の足をピンと伸ばし、近くにいる仲間といっしょに永遠の眠りにつきました。

彼はそれを聞き、とてもつらくなり、思わず涙を流しました。彼はあわてて野ウサギの手紙を拾いあげ、封筒に書かれた場所へと向かいました。深い谷川をこえ、けわしい断崖をのぼり、深い森を突き進み、ようやく野ウサギの仲間たちが集まっている場所へ着きました。ヒツジ、シカ、野ウサギ、リス、みんなが歌をうたい、いたるところでダンスをしています。おいしい木の実もいっぱいに積まれています。

小さな獣たちは楽しく遊んでいるところでしたが、彼を見て、いぶかしく思って、近寄ってきました。彼は野ウサギの手紙を小さい獣たちに渡しました。それを読んだ獣たちはあわててすぐに、密林の中に逃げていきました。ちょうどその時、騒がしい音がしたので振り返ってみると、どこからか「パン」という音が鳴り響き、銃弾が左足に当たって、彼は気を失いました。

彼は意識を取り戻すと、草の葉で傷ついた足をくるみ、がくがくする足で郵便局に戻りました。また二日間配達をせず、これが三度目であり、足を引きずっていては郵便配達には適さないために、彼は郵便局をくびになってしまいました。

こうして彼はもう何もすることができず、おもらいさんになったのです。

一九二二年四月十四日

ゆかいな人

世の中にゆかいな人はいるでしょうか？　だれがもっともゆかいな人でしょうか？

世界にはゆかいな人がいるのです。彼こそまさにもっともゆかいな人です。こんどは彼のお話をしましょう。

彼はとても奇妙で、信じてもらえるか分かりませんが、確かに彼はこんなふうに奇妙なのです。彼の体のまわりには、とてもうすい幕が張りめぐらされていて、これは生まれつきで、だれかが彼に張ったのでも、自分自身で張ったのでもありません。この幕は分かってもらうのが難しいのですが、ガラスのようだと言ったならば、何も存在しないみたいに透明なところは確かに似ていますが、この幕にはガラスほどの厚みがありません。卵の殻のようだと言ったならば、しっかり彼がくるまっているところは確かに似ていますが、卵の殻ほど不透明ではありません。要するにこの幕には重さがなく、存在を感じさせないほど薄く、隙間がなく密で、明るく、さえぎられているような感じは全くありません。彼はこのようなものにおおわれているのですが、彼自身は、こんなものにおおわれているとは知りません。

彼はこの幕の中で生活していて、何事も楽しく、いつでも満ち足りています。この幕で彼はまわりのあらゆるものから隔てられていて、そのためにどこでも、なんでもゆかいに感じているのです。

ある日、彼が家にいると、とつぜんお客さんが二人やってきました。このお客さんは詐欺師で、彼らはお金を手に入れて酒を飲みにいって楽しもうと考え、募金を装って彼の家までやってきたのです。彼らは彼の周囲に幕があることを知っていて、彼にうそを見破られることはないだろうと思ったのです。

二人のお客さんは彼に、今寄付を募っていると言いました。彼らの声は慈悲深く、とてもていねいな言葉づかいです。干ばつで苦しむ仲間たちは飢えて骨と皮ばかりになり、水害を受けた仲間たちは全身が黄色くふくれあがり、いろんなところから水がしみ出てきます。戦火を受けた仲間たちは今にも折れそうな腕を垂らして悲しそうに泣いていて、死にそうな子どもを抱えて絶叫しています。彼らは、「このように苦しんでいる仲間たちを救うのは当然であり、少しでも力になりたいと思ったならば、ぜひ寄付をしてください」と言ったのです。

彼は二人のお客さんの話を聞き、大いに心を動かされました。災害にあった仲間たちの悲惨さや苦しみを彼はあわれに思い、二人のお客さんがこのように熱心に人を救おうとしていることにも、とても感心しました。彼はポケットから大きな金塊を取りだし、お客さんの手に渡しました。二人のお客さんは心をこめてお礼を言い、別れを告げました。玄関を出ると、二人は互いに見つめあい、顔にずるがしこそうな笑いを浮かべ、いっしょにお酒を飲んで楽しみにいきました。

彼は大きな金塊を寄付したので、とてもゆかいに感じていました。彼は目を閉じて考えます。

「この二人のお客さんは私の黄金を持って、急いで被害を受けた仲間のところに行き、黄金を分け与えるだろう。やせ細った人はすぐに食べ物を手に入れ、太って元気になるにちがいない。水ぶくれの人はすぐに医者に行って、みんな元気で丈夫になるにちがいない。腕が折れそうな人はすぐに手をつなげてもらえるだろう。死にそうな子どもも救われるにちがいない。うれしいことだ！」

そして彼はまた、「私がこのようにうれしいのも、二人のお客さんのおかげだ。もしまたこのようないいお客さんに会えたら、またとてもうれしいにちがいない！」とも思いました。彼はうれしくて仕方なく、鏡に向かって一人でほほえんでいました。

彼の妻は部屋にいて、彼がまた詐欺師に大きな金塊をだまし取られたことを知っていました。彼女はずっと彼がそうするのを不満に思っていて、止めたかったのですが、彼の満足そうな笑顔を見ていると、どういうわけかはっきりと言う勇気もでず、怒りに耐えかねたときに、数言あてこすりを言うだけでした。彼は妻の言葉の意味がまったく理解できませんでした。なぜなら彼のまわりには幕があるからです。

大きな金塊が何の理由もなく詐欺師の手にわたったとき、彼の妻はとてもつらかったことでしょう。今度こそ、必ず彼をしっかり叱って、もうだまされることがないようにしようと彼女は思いました。彼女は怒りをあらわにして、部屋から出てきました。でも、彼が満面の笑みをたたえているのを見ると、怒りがしぼんでしまい、ののしる言葉が出てきません。ただ顔に冷笑を浮かべ、皮肉な口調で、「あなたはとてもよいことをしたのね。人が口を開けるなり、大きな黄金をポケットから出してあげるとは。あなたはほんとうに世の中でただ一人の善人だわ。このようなよいことを、これからもたくさんやるといい。多くやればやるほど、あなたは善人に見えるでしょうから」と言いました。

彼は妻の笑顔を見て、とても美しく、真心がこもっていると感じ、うれしさのあまり言葉が出てきませんでした。また、彼女の言葉がとてもていねいで、同情がこもっていたので、うれしさで酔ったようになり、どうしたらよいか分かりませんでした。彼は笑いのために口を合わすことができず、太った顔じゅうにしわができました。まるで、夜のコウノトリの鳴き声のような笑い声です。彼はようやく笑いをおさえて、「ぼくが出会う人は、善人じゃない人はまったくいないね。とくにきみは、適当なほめ言葉も見つからないくらいすばらしく、深い楽しさを感じるよ。もちろんぼくはきみが言うように、これからもなるべくたくさん、よいことをするつもりだ」と言いました。彼はそう言って、もっと大きな金塊をいくつか持って、外へ出ていきました。

目の前には、見わたすかぎりの畑が広がっていて、背の低い、つややかな緑をした桑の木が植えられています。彼が遠くを見ると、たくさんの人が桑畑の中で動いているのが見えました。このときはちょうど初夏で、カイコがさなぎになるために、急いで桑の葉を食べるのです。養蚕をしている人は昼夜を分かたず桑の葉を摘み、カイコに食べさせます。桑畑はその人たち自身のものでなく、桑畑の持ち主にお金を払って、ようやく桑を摘むことができるのです。彼らはお金がないので、ボロボロの綿入れを質に入れ、足の欠けたテーブルや腰かけを売り払い、ようやくお金を手に入れ桑畑の持ち主に払うお金をにしました。そのため、どの桑の葉にもお金の匂いがしみついています。この匂いは畑じゅうに充満していて、花の香りや土の甘い香りをおおい隠しています。養蚕をしている人は何日も眠っておらず、疲れた顔は灰色になり、眼は血走っています。彼らは今にも倒れそうなのを、むりやり気力を振りしぼり、両手でしきりに桑の葉を摘んで、休もうとはしません。このような疲れて眠そうな人が桑畑の中を動いているので、太陽の明るさや、草木のみずみずしい緑色を損ねています。

彼は桑畑に近づきました。桑の葉を摘む人の疲れをまったく感じず、桑畑じゅうにただようお金の匂いにも気づきません。なぜなら彼のまわりには、透明で実体がない幕がかかっているからです。彼はただゆかいに感じているだけです。

「これはなんとも心地よい眺めだ。なんてうっとりさせられることだろう。これらの人はほんとうに幸せだ。桑を摘んでカイコに食べさせるなんて、古くからの純朴な生活だ。彼らはこうした純朴な生活を送っているんだ」

彼はそう思いながら足を止め、彼らが一本一本桑の枝を切り、かごをいっぱいにしたら、空のかごと取り換えるのを見ていました。泉が湧きでるように、詩が彼の中からあふれてきます。

野にいっぱいの緑の雲
人が緑の雲の中を行きかっている
緑の雲を摘んでカイコに食べさせる
カイコは新鮮で新しい糸をはく
結った髪がぼさぼさの娘たちよ
緑の雲をふむ仙人よ
健康な体で、たくましい腕を持つ
古き時代のゆかいな人よ

彼は得意になって、自分の新しい詩を何度も歌い、鳥たちも彼にあわせて歌い、泉も彼に続いて賛美しているようです。もし人が「ゆかいな天地なんてどこにあるの」と聞けば、彼はきっと跳びあがって、「ぼくらの天地こそゆかいな天地だ。なぜならこの天地の間には、ゆかいでない人も、石も、草も、葉もないからね」と答えたことでしょう。

彼は畑を通り過ぎ、都会にやってきました。真っ先に彼の目を引いたのが、五階建ての建物です。

雄壮かつリズミカルな機械音が中から響いてきます。それは紡績工場で、中で働いているのはみな女性です。力尽きてしまって一家を養えない夫を持つ妻たちがいます。父親の仕事が見つからず、家族が生活できないため、紡績工場で働くしかない娘たちもいます。早朝のまだ暗いうちから彼女たちはあわただしく工場へやってきて、夕方、太陽がいなくなるとようやく家へ帰ります。彼女たちがお昼に食べているのは、家から持ってきた冷たい粥と固くなったパンです。彼女たちには髪をとかす時間も、服を着替える時間も、腰を伸ばしてあくびをする時間もなく、子どもを生んでも、乳をやる時間すらありません。彼女たちはひとところに集まって仕事をして、濃く汚れた息をして、暗くうなだれた姿をしています。こうした雰囲気、こうした光景が工場の中に充満し、工場の外をおおっていて、この五階建ての建物は、まるで泥の中、溝の中にあるみたいです。

彼は工場内に入りましたが、周囲の汚れや元気のなさをまったく感じませんでした。なぜなら彼のまわりには、透明で実体がない幕がかかっているからです。彼は目の前のすべてをおもしろく感じるだけです。

「この機械の発明はほんとうに人類でいちばんゆかいなことだな！　機械が動くのを見てみよう。とても速く、とても巧みだなあ。女性たちもとても幸せだろう。彼女たちはいちばん簡単な作業、機械の管理をするだけだから」

このように彼は思いました。彼は機械が動き、女工たちが働くのを見て、真っ白な細い糸がどんどん紡がれていくのを見て、詩情がまた潮のようにわきあがり、このような詩をよみました。

人間は聡明だ、機械の音を聞くだけ

人間は聡明だ、機械が動くのを見るだけ
機械はわれわれによいものをくれ
われわれはその贈りものを受け取る

私は働く女性を賛美する
真っ白な綿糸がその身をつつみ
力はほんのわずかしか使わないものの
世間は彼女らの力の厚意に感激する

彼はとても興奮し、自分の新しい詩を何度も歌いましたが、機械もまたその歌に和して歌い、女工さんたちもうなずいて驚嘆しているように思いました。もし、「ゆかいな天地なんてどこにある」と聞く人がいたら、彼は跳びあがって、「ここがまさにゆかいな天地だ。なぜなら、ゆかいでない人も、鉄も、糸も、皮もないからね」と答えたことでしょう。

彼が紡績工場を出ると、多くの人が迎えに来ていて、歓声が潮のようにあがり、いっせいに彼に向かっておじぎをしました。彼らは彼がたくさんの大きな金塊を持っていることをかぎつけ、だまして手に入れて、みんなで分けてアヘンを吸おうと思っているのです。彼はその詳しい事情を知らないのです。なぜなら彼の周囲は幕でおおわれているからです。

その中の一人が代表して、穏やかにほほえみながら彼に言いました。

「天地はゆかいで人もゆかいです。あなたさまはそう信じ、私たちもそう信じています。われわれがゆかいな天地の間で、ゆかいな人となるのは、ほんとうにゆかいなことであると思います。これを記念しないという手はありません。われわれはゆかいの記念塔をつくろうと計画しており、あなたさまにもきっと賛成していただけると思っています」

「賛成、賛成！」

彼は喜んで叫び、持っていた大きな金塊をぜんぶ彼らに渡しました。彼らは喜びの声をあげ、去っていきました。後に黄金を分け、みんなでアヘンを買ってけんめいに吸いました。彼はというと、喜んで家に帰り、そのゆかいの記念碑がどれほど美しく、雄壮であるか、落成した日はとてもにぎやかで楽しいだろうと想像するだけでした。この日の夜、彼の妻は、彼が夢の中で狂ったように歓喜の声をあげるのを聞きました。

以上に述べたのは、彼が一日で体験したことです。彼のゆかいな生活は、このように過ぎていったのです。

ある日、彼が死んだといううわさを、みんなは聞きました。どのような病気であるのか、はっきりしません。後になって、ある人がこう言いました。

「彼は病気で死んだのではない。ある災いの神が地上を歩きまわり、地上にはだれ一人ゆかいな人がいないようにしようと思っていたら、彼を見つけたので、その透明で実体のない幕をやすやすと破ってしまったのだ」

一九二二年五月二十四日

茶トラの小猫の恋の物語

子どもはとてもふしぎに思っていました。ここ数日、あの茶トラの小猫がしょっちゅうどこにいるのか分からなくなるのです。今まで、茶トラの小猫は子どもと朝から晩までいっしょにいて、地面に落ちて転がったボールを追いかけ、羽を休めたかと思えばまた飛んでいくチョウをからかい、お互いとても楽しく遊んでいました。ご飯のとき、茶トラの小猫は子どもと並んで座り、子どもが魚の骨などを彼の口に入れてくれるのを待っていました。眠るとき、茶トラの小猫は子どものふとんに入り、彼の肩のそばで体を丸めて眠りました。彼らは片時も離れず、夢の中でも一人になることはないかのようでした。でもここ数日、茶トラの小猫はしばしば子どもにはかまわず、一人でどこかに行ってしまうのです。子どもは今まで味わったことのないさみしさを感じ、いそいで茶トラの小猫を探しだそうとして、あらゆるところを探しました。茶トラの小猫がいつもいる火の入っていないかまどのそばも、古いものを積みあげてしまっておく部屋の中も、壁板の穴の中も、庭のすみにある水がめの後ろも、ししゅう針を探すように探しましたが、影も形もありません。

ある日、茶トラの小猫は一人でしょんぼりと戻ってきました。子どもはとても喜び、迎え入れると彼を抱きかかえ、ニャアと言ったりキスをしたりして、いつにもまして親密なようすです。しかし、すぐに子どもは茶トラの小猫がちょっと変なことに気づきました。彼の熱い歓迎にまったくうれしそうなそぶりをみせず、いつものように軽々と鳴いたり、活発に跳びはねたりしません。どうやら心配事があるみたいですが、子どもにはまったく心当たりがありません。茶トラの小猫はまた一人でどこかへ行ってしまいました。何回もそんなことがあり、いつもそんなようすです。

仲良しだった茶トラの小猫、輝く目と、美しい毛色をした茶トラの小猫が、どうして彼から遠ざかり、彼といっしょに遊ばないのか、子どもにはまったく分かりませんでした。実は、茶トラの小猫は恋をしていたのです。

ことの起こりはこんなふうでした。灌木の茂みの前に澄んだ浅い池があります。木の枝が水の上でゆらゆらとゆれ、池のまわりをとても美しくふちどっています。枝にからまった藤の花がちょうど青や紫の小さな花を咲かせていて、池の中にくっきりと映っています。一羽のガチョウがまるで絵のように池の中を泳ぎまわっています。緑の木の枝が日光をさえぎり、ガチョウの白い羽が水の青を映して、言葉にできないほどの美しさです。茶トラの小猫はちょうど池のほとりを散歩していたのですが、ガチョウを一目見るなり、愛情が炎のように燃えあがったのです。

彼女は確かに美しいガチョウで、柔らかな羽毛に包まれ、黄色い宝石のようなこぶをのせ、目は金色に輝き、あたりをきょろきょろと見まわしていて、とてもきれいです。見た者はすべて彼女に恋するでしょう。ましてや茶トラの小猫は初めて彼女を見たのです。彼はまだ若い茶トラの小猫なのです。

茶トラの小猫は少し近寄って、やわらかな独特の声で言いました。

「白い服のおじょうさん、水面を泳ぐのは楽しいですか？」

「楽しいわよ」

ガチョウはわずかにこちらを向き、目は半分閉じていました。見ればみるほど優美な姿です。茶トラの小猫はうれしさのあまり、目を閉じました。口の中に入れたアメをじっくり味わうように、彼女の姿をじっくりと味わいたかったからです。

「あなたは一人でここにいて、さみしくないのですか？」

しばらくして、茶トラの小猫は聞きました。

「さみしくなんてないわ。でも私とお友だちになりたい人がいれば、いっしょに遊ぶのは大歓迎よ」

ガチョウはこのように遠まわしに答えましたが、ここからも彼女が聡明な娘であることがわかります。

「ぼくがあなたの友だちになって、いっしょに遊ぶよ」

茶トラの小猫は真心をこめて言いました。

「あなたがそう望むなら、うれしいわ」

ガチョウは答えました。

このときから、彼らの友情が生まれました。茶トラの小猫はしばしば池のほとりにガチョウを訪ねてやってきました。彼らは池の風景や、色とりどりのチョウがいつ飛んでくるか、美しい花がいつ開くかなどを話しました。彼らはお気に入りの歌を互いに歌って聞かせ、さらに自分が耳にした多くの物語を語りました。時にガチョウが岸辺にやってきて、茶トラの小猫といっしょに灌木の茂みの中に座り、緑の木陰で休憩しました。彼らは葉っぱの裏に隠れているカミキリムシを探し、どちらのカミキリムシが美しいか競いました。彼らは緑の葉っぱが少ないところから空に浮かんでいる雲を見て、その雲がいつ過ぎ去り、また雲がいつくるのか、当てっこをしました。

茶トラの小猫はこうして、いつも朝から晩までいっしょに遊んでいた子どものことを忘れたのです。

茶トラの小猫はしょっちゅうガチョウといっしょに遊び、お話をしていましたが、心の中はいつも穏やかではありませんでした。なぜなら彼がいちばん言いたい言葉を口にしていなかったからで、彼がいっしょに遊ぶよりももっと願っていたことが、かなっていなかったからです。

「どう言ったらいいだろう。言ったら彼女はどうするかな？」

彼はいつもそう考えていました。がまんしよう。そしてほんとうにがまんできなくなったら一気に言おうと思っても、やっぱりちょっとこわいのです。だから、彼はガチョウと別れて家に戻ると、ただ黙ってそれについて考えていました。子どもにどうしてそれが分かるでしょう？　彼はただ変だなあと思うだけです。

ある日、茶トラの小猫はもう耐えられなくなり、ガチョウがどう答えようとも、そのいちばん重要な言葉をガチョウに言わなくてはと決意しました。彼はカゴに入れた青いウキクサをガチョウへの贈りものとして準備し、竹カゴの柄に一束のピンクの野ばらを挿しました。彼は途中で、告白の言葉を口にできないことを恐れ、自分を励ましました。彼はまた、川岸に立ち自分の姿を映して、前足を上げて顔の毛をきれいになでつけ、ひげを両側にピンとはねさせました。そして自分はきれいな茶トラの小猫だと思いました。

池のほとりに着くと、ガチョウは池のほとりを散歩しているところで、かわいい影が池の中に映っていました。彼は近寄って、よろこびの笑顔を浮かべて、ガチョウに言いました。

「白い服のおじょうさん、もう来ていたの？　待たせちゃったかな？」

彼女の答えを待たずに言いました。

「今日はおじょうさんに、つまらないものだけど贈りものを持ってきたよ。心をこめたものだから、どうか受け取って」

そう言って、カゴをガチョウに渡しました。ガチョウはそれが自分の大好物の青いウキクサときれいな赤い花であるのを見て、とても喜び、心からお礼を言って、花束を胸の前に挿しました。茶トラの小猫は、彼女がさらにかわいくなったと思いました。そして彼らはふだんと同じように遊びはじめました。

茶トラの小猫は心の中で「勇気を出すんだ。おびえるな！」と思い、何度も自分を励ましたあと、ようやくあのいちばん言いたい言葉を言いました。

「白い服のおじょうさん、ぼくはあなたに言いたいことがあります。それは……ぼくはあなたを愛しています。あなたが好きなんです！」

茶トラの小猫は内心とてもドキドキしていました。

「あなたが私を愛している？」

ガチョウはびっくりして聞きました。しばらく考えてから、彼女は穏やかで静かな態度を取り戻しました。そしてこう言いました。

「あなたが私を愛してくれるのはとても感激だわ。でも、あなたは私の何を愛しているの？　はっきり言ってくれれば、私もあなたを満足させられるか、考えるわ」

茶トラの小猫はガチョウの返事を聞き、うれしくて跳びあがりそうになりました。まさに彼女に近づいてキスをしようとしたとき、すぐに彼女の問いかけを思いだしました。

「彼女の何を愛しているかって？」

すぐには分からなかったのですが、答えないわけにはいかないので、こう答えました。

「あなたの真っ白な羽毛、雪のように白い羽毛を愛しています」

「じゃあ、あなたに真っ白な羽毛、雪のように白い羽毛をあげるわ」

こう言って、ガチョウは全身の羽を脱ぎました。そよ風が吹き、羽毛は舞いあがって地面に落ち、ガチョウはそれをかき集めてすべて茶トラの小猫にあげました。

「それとあなたの活発な美しい目、金色に光る目を愛しています」

茶トラの小猫はまた言いました。

「じゃあ、あなたにこの活発な美しい目、金色に光る目をあげる」

ガチョウは目玉を取り出して、茶トラの小猫に投げてよこしました。茶トラの小猫はすばやく前足でそれを受け取りました。

「あなたの頭の上のこぶ、黄色い宝石のようなこぶを愛しています」

茶トラの小猫はまた言いました。

「あなたに頭の上のこぶ、黄色い宝石のようなこぶをあげる」

ガチョウはこぶをはずして、茶トラの小猫に投げてよこし、それはちょうど足元に落ちました。

「あなたのかわいいくちばし、すてきな歌をうたえるくちばしを愛しています」

茶トラの小猫はまた言いました。

「あなたに私のかわいいくちばし、すてきな歌をうたえるくちばしをあげる」

ガチョウのくちばしがまた茶トラの小猫の足元に落ちました。

「あなたの小さくて精巧な水かきを愛しています」

水かきもガチョウの体から離れました。このとき、ガチョウにはもう裸の体しかのこっていません。

「あなたの白くてやわらかな裸の体を愛しています」

茶トラの小猫はまた言いました。

「あなたに私の白くてやわらかな裸の体をあげる」

ガチョウは裸になった体を茶トラの小猫の足元に転がしました。

茶トラの小猫は、悲しくなり、心が砕け散ってしまったように感じました。ガチョウは一つひとつ彼の求めるものをくれ、彼は愛するすべてのものを手に入れたのに、かわいいガチョウがいなくなるなんて、思いもしませんでした。

「白い服のおじょうさん、あなたはどこにいるの？」

茶トラの小猫はしょんぼりと家に戻りました。子どもが彼を抱いてからかっても、小猫の目は涙でいっぱいでした。

翌日、茶トラの小猫はがまんできず、また池のそばに行き、また羽毛、目、こぶなどを見ようと思いました。でも、とてもうれしいことに、ガチョウはまた池の中で泳いでいたのです。澄んだ鳴き声をあげ、優雅な姿で、前とまったく変わっていません。

茶トラの小猫はガチョウに聞きました。

「昨日、きみはすべてのものをぼくにくれたので、ぼくはどれだけ感激したか分かりません。でもきみ自身はどこへ隠れていたの？　ぼくの愛するおじょうさん」

「愛してるとかそういうこと、もう言わないでくれる？　昨日の遊びはもう終わり。もうやめましょうよ。これからは、私たちはやはりよいお友だちのままでいましょう」

ガチョウはさりげなく彼女に対する呼称を訂正しました。

「ただの友だち？」

茶トラの小猫は失望して聞きました。

「昨日のお遊びで分かったでしょ？　私たちは友だちにしかなれない。愛情についていえば、悪いけど、あなたは私の愛を得ることはできないわ」

茶トラの小猫はとうとう失敗したのでした。

一九二二年五月二十七日

かかし

田野の昼間の風景とそのようすを、詩人は美しい詩によみ、画家は生き生きと絵に描きます。夜になると、詩人はお酒を飲んでほろ酔い気分となり、画家は楽器をかき抱いて低い声で歌い、どちらも田野にやってくる時間はありません。では、田野の夜の風景とそのようすを教えてくれる人はいるでしょうか？　います。それはかかしです。

キリスト教では、人間は神の手によってつくられたものだそうです。この言葉が正しいかどうかはひとまず置いておいて、それをまねて言ってみるならば、かかしは農民の手によってつくられたものと言えます。その骨格は竹林に生えた細い竹で、筋肉と皮膚は古くなった黄色いわらです。穴のあいた竹のかご、残ったハスの葉、どんなものでも帽子にすることができます。帽子の下にある顔はのっぺらぼうで、どこが鼻か、どこが目か分かりません。手の指はないけれど、ぼろぼろのうちわを持っています。――実際には持っているとは言えず、うちわの柄に糸を結んで、手にかけてあるだけです。彼の骨格はとても長く、足の下にもまだあって、農民はこの部分を田んぼの真ん中の泥の中に差しこんでいて、かかしは昼も夜もそこに立ちつづけているのです。

かかしはとても責任感が強く、牛と比べたら、牛のほうが彼よりもはるかになまけもので、時に地面に寝そべり、頭を上げて空を見ています。犬とかかしを比べたら、犬のほうがいたずらで、時にそこらじゅうを駆けめぐり、主人はあらゆるところを探しまわって、くたくたになります。かかしはいまだかつて、いやけがさしたことはなく、牛のように横たわって空を見たりせず、また、犬のように走りまわって、遊びに夢中になったりもしません。彼は静かに田んぼを見ていて、手のうちわを軽くゆすり、新しく実った稲穂を食べようと飛んできたスズメを追っ払っています。彼は食事をすることも、眠ることもなく、ちょっと座って休むことすらせず、いつでもそこにまっすぐ立っています。

　これは当然のことですが、田野の夜の風景とようすは、かかしだけが、いちばんはっきりと、いちばんよく知っています。彼は露がどのように草の葉につき、露の味がどんなに甘いかを知っています。彼は星がどのようにまたたき、月がどのように笑うかを知っています。彼は夜の田野がどんなに静かで、草花や樹木がどのようにぐっすりと眠るかを知っています。彼は小さな虫たちがどのように追っかけっこをし、チョウがどのように愛を語るかを知っています。つまり、夜のすべてを彼ははっきりと知っているのです。

　これから、かかしが夜に見たいくつかのことをお話しましょう。

　満天に星が輝くある夜、彼は田んぼを見守りながら、手のうちわを軽くゆらしていました。新しく出た稲穂がずらりと並び、星に表面を照らされ、少し光っていて、頭に水の玉をのせているようです。少し風が吹くと、サラサラと音をたてます。かかしは見守りながら、とても喜んでいました。今年の収穫はきっとかかしの主人である、かわいそうなおばあちゃんを喜ばせることでしょう。彼女は今まで笑ったことがあるでしょうか？　八、九年前、彼女の夫が死に、彼女は思いだすと泣きだしてしまうため、目がいまでも真っ赤なままです。また、そのせいで、ときどき涙が出ます。彼女には息子が一人しかおらず、親子二人で苦労してこの田んぼを耕して三年が経ち、ようやく彼女の夫の葬式代を返すことができました。しかし、まさか息子がジフテリアにかかり、つづいて死んでしまうとは思いもしませんでした。彼女はそのとき、倒れてしまい、その後も心の痛みにしょっちゅう悩まされることになりました。今度は彼女が一人残され、年老いて気力もないのに、力を振りしぼって田んぼを耕さねばならず、ようやく三年を耐え忍んで、息子の葬式代を返すことができたのです。

しかし、その後二年続きで洪水がおき、稲が水に浸かりましたが、腐らずに発芽しました。彼女はさらに涙をたくさん流したので、目が傷ついてしまい、ものがはっきり見えなくなり、ちょっと遠いところのものは、まったく見えません。顔はしわだらけで、ひからびたミカンのようで、笑みなどを浮かべる余裕はありません。でも、今年の稲は成長がよく、しっかりとしていて、雨もあまり多くないので、豊作のように思われます。だからかかしは彼女の代わりに喜んでいるのです。刈り入れの日、収穫した稲穂が大きく、ぷっくりとしているのを見て、これがすべて自分のもので、努力は無駄ではなかったと彼女が思えば、顔のしわも伸びて、安心して満ち足りた笑顔を浮かべることでしょう。もしほんとうにその笑顔を見ることができれば、かかしにとって、それは星や月の笑みよりもすてきで、貴重なものです。なぜなら、かかしは主人のことを愛しているからです。

かかしがまさにそう考えているとき、一匹の小さいガが飛んできました。灰色の小さなガです。彼はすぐさまそのガが稲の天敵、すなわち主人の敵であると見て取りました。自分の務めから見ても、主人に対する感情から見ても、この小さいガはすぐさま追い払わねばなりません。そこで、彼は手に持ったうちわをゆらしはじめました。でもうちわの風は

小さく、ガを怯えさせることはできません。その小さなガはしばらく飛んでから、まるでかかしが期せずしてそこにガを追い払ったかのように、一枚の稲の葉にとまりました。かかしは小さなガがとまったのを見て、あせりました。でも彼の体は樹木のように泥の中に固定されていて、動こうにも前に半歩も動くことはできません。うちわはゆれていますが、その小さなガは相変わらずのんびりと休んでいます。彼は、今後田んぼの中がどのような状態になるかを考え、主人の涙とやせ細った顔を考え、また主人の運命を考えて、心が真っ二つに割られたように痛みました。でもその小さなガはずっと休んでいて、どう追い払おうとしても、まったく動きません。

　星々がみんなで去っていき、夜景がすべて隠れて見えなくなるころ、ようやくその小さなガは飛び去りました。かかしがその稲の葉をよく見ると、果たして葉っぱが巻きあがり、その上には小さいガの卵がたくさん残されています。かかしはこのうえない恐怖を感じ、災難が本当にやって来たら、恐ろしければ恐ろしいほど避けて通れないと思いました。かわいそうな主人は、目がよく見えないので、なるべく早くガの産んだ卵を見つけさせなければ、たいへんなことになります。かかしはそう考え、うちわをさらに激しく動かしました。うちわはたびたび体にあたり、パンパンという音を立てます。かかしは叫ぶことはできませんので、これが唯一主人に警告する方法なのです。

　年老いた女性が田んぼにやってきました。彼女は腰をかがめ、田んぼの水がちょうどよいか、川からさらに水を引く必要がないか確かめました。また自ら植えた稲が、みんな丈夫かを見て、稲穂をさわって重いことを確かめました。そしてさらにかかしを見て、帽子をきちんとかぶっていて、うちわが手にあってゆれているか、パンパンという音を出しているかどうか、真っ直ぐ立っていて、位置が変わったり、ようすが変わったりしていないか確かめました。彼女はすべてがいい状態であると思い、あぜに上がって、縄をなうために家に戻ろうとしました。

かかしは主人が帰ろうとしているのを見て、あわてふためき、しきりにうちわを動かして、この切迫した音で主人を引き留めようとしました。この音はまるでこのように言っているかのようでした。

「ご主人さま、行かないでください。田んぼのすべてが問題ないと思わないでください。たいへんな災いが、田んぼの中にもう根を下ろしているのです。一度起こるともう収拾がつきません。そのときには、あなたの涙は枯れ、心が砕けてしまうでしょう。今のうちに火だねを消せば、まだ間に合います。ここ、この一株です。この稲の葉先を見てください！」

彼はうちわの音で続けて警告を発しました。でも老婦人はまったく理解することなく、一歩一歩遠ざかっていきます。彼はひどくあせって、ひたすらうちわを動かしつづけましたが、主人の姿が見えなくなり、警告が役に立たなかったと知ったのです。

かかし以外にはだれも、稲の心配をする人はいません。彼は飛んで行ってその災いの種を消したくてたまりませんでした。また、風で便りを送り、主人にすぐに来てもらって、災いを取り除いてもらえないのを、残念に思いました。彼の体はもともとやせ細っていますが、今は憂いのために、さらに憔悴して見え、もう立っている力すらなく、ななめに傾き、腰をかがめ、まるで病気のようになりました。

数日も経たないうちに、田んぼの中ではガの卵がかえり、そこらじゅうウジだらけになりました。夜ふけのしんと静まりかえったとき、かかしは彼らが稲の葉をかじる音を聞き、彼らのますます食いしん坊になった顔つきも見ました。しだいに稲の緑の葉がまったく見えなくなり、くきだけが残りました。

彼は心が痛み、見るのもしのびなく、主人の今年の苦労が、涙とため息にしかならないことを思うと、うなだれて泣くしかないのでした。

　このとき、もうだいぶ涼しくなっていて、夜の田んぼでは、冷たい風がかかしに吹きつけ、震えがくるほどでしたが、彼は泣いていたので、それにも気づきませんでした。とつぜん、「だれかと思えば、あなたなの」と言う女性の声が聞こえました。かかしはびっくりして、ようやくとても寒いことに気づきました。でもどうしようもありません。責任を果たすため、また、身動きもままならないために、寒くてもそこに立ちつづけているしかないからです。その女性を見ると、漁師でした。田んぼの前には川が流れていて、その女漁師の船は川辺にとまっていて、船の中からはかすかな光がこぼれています。彼女はそのとき、ちょうど手に持った四つ手網を川底に放り投げているところで、網が沈んでいくと、彼女は岸辺に座り、しばらくしたら引きあげようと待ちました。

　船の中から、ときどき子どもの咳が聞こえてきて、疲れてかすれたママを呼ぶ声もときどき聞こえてきます。それを聞くと彼女はあせり、力いっぱい網を引きましたが、どうもうまくいかず、ほとんど毎回空のようです。船の中の子どもはまだ咳をし、叫んでいるので、彼女は船に向かって、「いいから、おねんねしていなさい！　魚を捕まえたら、明日粥をつくってあげるから。おまえがしょっちゅう呼ぶから、気が散って、魚が捕まえられないじゃない！」と言いました。

　子どもはがまんできずに、それでも叫んでいます。

「ママ、のどが渇いたよ。お茶をちょうだい！」

続けて咳きこむ音が聞こえました。

「ここのどこにお茶があるというの。おとなしくしていてよ、お願いだから！」

「のどが渇いて死にそうだよ！」

子どもはとうとう大きな声で泣きだしました。広々とした夜の田野で、この泣き声はことのほか悲しげに聞こえました。

女漁師は仕方なく、網の縄を放して船にのり、船室に入って、お碗を手に持ち、川から水をくんで向きを変えて、子どもに飲ませました。子どもは一気に水を飲みほしました。本当にのどが渇いていたようです。でもお碗を放すなりまた咳をして、それがさらにひどくなり、最後にはただあえぎだけになりました。

女漁師は子どもにあまりかまっていることができず、また岸辺に行って網を引きました。長いこと船室からは何の音もせず、彼女の網も何回も空ぶりをした挙句、ようやく二十五、六センチのコイが一匹かかりました。これは初めての獲物で、彼女は用心ぶかく網から魚を取りだし、木の桶の中に入れ、続けてまた網を入れました。この魚を入れた桶は、ちょうどかかしの足元にありました。

この時、かかしはもっと心が痛みました。かかしはその病気の子どもをかわいそうに思いました。あんなにのどが渇いても、お茶を一口も飲めず、あんなに病気がひどくても、お母さんといっしょに眠れないのです。彼はまたその女漁師もかわいそうに思いました。こんな寒い夜ふけに明日のお粥の算段をし、そのために心を鬼にして病気の子どもを放っておかねばならないのです。彼は自分がたきぎとなって、子どもに飲ませるお茶をわかすことができないのを残念に思い、また自分がふとんとなって子どもを暖めてあげられないのを残念に思い、またウジ虫の内臓を奪って、女漁師にお粥をつくってあげられないのを残念に思いました。もし彼が歩けるなら、きっとすぐに自分のやりたいようにするでしょう。でも不幸なことに、彼の体は木と同じように泥の中に固定されていて、半歩たりとも動くことはできません。彼には何の手段もなく、考えれば考えるほど悲しくなり、さめざめと泣きました。とつぜんパンという音がして、おどろいて泣きやみました。何事かと見ると、桶に入れられたコイでした。

　桶の中の水はとても少ないので、コイは桶の底に横たわっていて、下に向いた側を少し潤すことができるだけでした。コイはとてもつらく、逃げたいと思い、力いっぱいはねたのです。何回もはねましたが、高い桶の囲いに阻まれ、やはり桶の底に落ちてしまい、体を打ちつけてとても痛みます。コイは上に向いたほうの目でかかしを見て、哀願しました。

「私の友よ、しばらく手のうちわを放して、私を助けてくれ。水の中の家を離れると、私は死んでしまう。親切な友だちよ、助けてくれ！」

　コイの必死の願いを聞き、かかしはとても心苦しかったのですが、力いっぱい頭をふって答えるしかできません。彼は「どうか許してください。私はとてもかよわい無能な者なのです。私はあなたを救いたいし、あなたを捕まえたあの婦人も、彼女の子どもを助けたいと思っています。あなたや女漁師、子ども以外にも、あらゆる苦しむ人々を助けたいのです。でも私は木と同じように、泥の中に固定されていて、半歩たりとも動くことはできません。どうして自分の思いどおりのことができましょうか。どうか許してください、この軟弱で無能な者を！」と言いたかったのです。

　コイはかかしの言わんとしていることを理解せず、彼が首を振りつづけているのを見て、炎のように怒りを燃えたぎらせました。

「こんな簡単なことなのに、あなたには人の心がまったくないのか！　ただ首を振っているだけなんて。私がまちがっていたよ。自分の災いなんだから、人に助けを求めてはいけなかったんだ。自分でどうにかしなきゃ。うまくいかなかったら、死ぬだけのことだ。なんてことない！」

コイは大声で叫び、また力いっぱいはねました。今度はとても力を入れたので、尾っぽと胸ひれの先端がピンとまっすぐに立ったくらいです。

かかしは、自分の言わんとすることをコイが誤解したのを見て、またコイに説明する方法がないためにとても悲しくなり、ため息をつき泣きました。しばらくして、彼が頭を上げて見てみると、女漁師は片手に網の縄を握りしめたまま寝ています。あまりに疲れたのでしょう。明日の粥は心配ですが、耐えきれなかったのにちがいありません。桶の中のコイはどうしたでしょうか？　跳びはねる音は聞こえなくなりましたが、尾っぽはまだぴくぴくと動いているようです。かかしは、今夜はあまりに心が痛むことばかりがおき、ほんとうに悲しい夜だと思いました。でも稲の葉を食べる小さな強盗を見ると、彼らはとても楽しく、おなかいっぱいになって、まるはげになったくきの上で跳びはねています。イネの収穫は見こめず、主人の年老いた力がまた無駄になりました。世にこれよりかわいそうなことがあるでしょうか？

夜はさらにふけて、星さえも光を失っているようです。かかしはとつぜん、田んぼのあぜに黒い影がやってくるのを感じました。近づいてきたのをよく見てみると、それは女性で、だぶついた短い上着を着て、髪が乱れています。彼女は立ちどまって川岸にとまっている漁船を見て、向きを変えて川岸へと歩いていきましたが、数歩も行かないうちにまたそこに立ち止まりました。かかしはふしぎに思い、彼女のことを気にとめて見ていました。

とても悲しそうな声が彼女の口から出てきます。か弱く、断続的で、夜のあらゆる小さな音に聞きなれているかかしだけが、ようやく聞き取れるものでした。その声はこう言っていました。

「私はウシでも、ブタでもないのに、どうしてあなたは気軽に人に売ってしまうの？　逃げないと、明日にはほんとうに人に売られてしまう。少しくらいお金が手に入っても、ばくちですってしまうか、酒を食らって使ってしまうかで、何の役にも立たないのに。どうして私を追い詰めるの？　死以外に、ほかの方法はないわ。死んで、あの世にいる私の子どもを探しにいくわ！」

　これらの言葉はまともな言葉にならず、泣いてしゃくり上げているため、声も乱れています。

　かかしはとてもびっくりしました。また痛ましいものを見てしまったのです。彼女は死のうとしている！　彼はあせり、彼女を救おうと思いましたが、自分でもその理由は分かりません。彼はまたうちわをパタパタさせ、眠っている女漁師を起こそうとしました。しかしその女漁師は死んだように眠っていて、ぴくりともせず、うまくいきません。彼は自分をうらみました。木と同じように泥の中に固定されていて、半歩たりとも動くことはできません。死のうとしている人を救わないのは悪いことではないでしょうか。自分はまさにそのような罪を犯そうとしています。これはほんとうに死ぬよりつらい苦しみです！

「なんてことだ、早く夜が明けないかな。農民の人たち、早く起きてきてよ！　鳥よ、早くこの知らせを持っていってよ！　風よ、彼女の死にたい気持ちを吹き飛ばしてよ！」

　彼は黙ってこのように祈りましたが、周囲はまだ真っ暗で、何の音もしません。彼は心が砕け散りそうでしたが、恐ろしくても見ないわけにはいかず、こわごわと岸辺に立つ黒い影を見ていました。

　その女性は黙ってしばらく立ちつづけていましたが、体を前に乗り出していきます。かかしは恐ろしい時が来たのを知り、手に持ったうちわをパタパタとさらに激しく鳴らしました。しかし彼女は飛びこまず、まっすぐそこに立ったままです。

かなりの時が過ぎ、彼女はとつぜん腕を上げ、体を倒すように川の中に飛びこみました。かかしはそれを見て、彼女が水に落ちる音を聞かないうちに、気を失ってしまいました。

翌朝、農民が川岸を通りかかり、川の中に死体を見つけ、そのニュースはたちまち広まりました。近くに住む人々がこぞって見にやってきました。騒がしい人の声に起こされた女漁師が桶の中のコイを見ると、すでにコチコチになって死んでいました。彼女は木の桶を持って船に戻ると、病気の子どもが目を覚ましましたが、顔はさらにやせ細り、咳はさらにひどくなっていました。あの年老いた農婦はみんなといっしょに川辺にやってきて、自分の田んぼを通りかかったので、ついでに見てみました。すると、なんと数日の間に、稲の葉も穂もまったくなくなっていて、ただまっすぐな、丸裸のくきだけが残っています。彼女はあせり、地団駄をふんで、胸をたたいて、大声をあげて泣きました。みんながやってきて、彼女に理由を聞いたり、なぐさめたりしていましたが、ふと見ると、かかしが田んぼの真ん中に倒れているのでした。

一九二二年六月七日

羊飼いの少年

草地の一角に小さな小屋があり、そこに一人の子どもと、三十頭あまりの羊が住んでいました。子どもと羊はお互いとてもうまくやっていて、兄弟姉妹よりも仲良しです。小屋の中には厚くわらがしきつめられています。彼らは草の上に横たわり、お互いの足を枕にし、胸と胸とをくっつけ、ぴったり寄りそって暗くて長い夜をいっしょに過ごしていました。

夜は暗くて長いけれど、彼らはとても暖かく、味わい深く感じていました。彼らはよく、たくさんのうれしい夢を見ました。

一頭の羊が頭を傾け、角がちょうど子どもの口もとにあたって、子どもは夢から覚めました。彼はちょうど暑い夏の日に、真っ白なテントの下に座り、大きなお碗に入ったアイスクリームを持って、うれしそうに食べている夢を見ていました。アイスクリームはほんとうに冷たく、口から心の中まで冷やし、とても気持ちがよかったのです。とつぜん、草地のあちこちに緑の大きなスイカが生えてきて、いちめんスイカ畑になる夢も見ました。彼がスイカを手に持ち、手でパンとたたいて半分にすると、黄色の身がつややかに光っています。大きな口を開けてほおばると、甘くて冷たくて、夏が過ぎ去ったように思いました。

彼といっしょに寝ている羊たちも夢を見ています。ある羊は頭を別の羊の胸の上に置き、鼻と口をやわらかな毛にこすりつけて、夢を見ていました。羊は草地に生えている草が栄養たっぷりでやわらかく、見ているだけでうっとりするような夢を見ていました。彼は仲間たちにいっしょに食べようと呼びかけます。あの甘く新鮮な味は、だれもこれまで味わったことがないものでした。

はねあげた足を別の羊の首の上に置いている羊がいて、やはり夢を見ていました。その羊は草の上を跳びはねていて、どんどん高く跳びはね、ウチワサボテンくらいの高さなら、問題なく跳び越せ、土壁のような高さでも問題なく、高いガジュマルの木ですら、まるで低い草であるかのように跳び越してしまいます。跳べば跳ぶほど高くなり、とてもゆかいです。真っ白なハトのように空を飛ぶこともできます。でも羽を使わず、羊は四本の足を動かして飛んでいきます。頭を下げて見下ろすと、仲間たちが草地で上空の羊を見ています。もう一度見るとそれはたくさんの真っ白なガチョウでした。羊は「きみたちも飛んでみな、早く飛んでみな!」と力いっぱい叫びました。

子どもと羊が夜に見る夢は、だいたいこんな感じです。

夜が明けると、子どもは羊といっしょに起き出して、草地にやってきます。彼らは食事をします。羊は草を、子どもは持ってきたお弁当を食べます。おなかがいっぱいになると、みんなで歌をうたって遊びます。子どもは「孟姜女」〔中国の秦の時代の民間伝説の主人公〕「一本のジャスミンの花」を歌い、羊たちは「メーメー曲」を歌います。

彼らはよく顔と顔をくっつけ、耳と耳をくっつけています。やわらかくも、くすぐったくもあり、とても気持ちがいいのです。ときには二頭の羊が向かいあわせに立ち、互いの前足で前足を支えあって、踊ります。ときには子どもは羊とかけっこをし、草地のはしからはしまで走ります。ときには子どもは羊を抱いて草地に寝転がり、あおむけに寝て白い雲が浮かぶ空を見ます。空は波のない海のようで、海の中には白い石を積みあげてできた島があり、さらに白い帆を張った小さな船もあります。

草地の東にはガジュマルの老木が数本あり、あごに生やした長いひげが、風にゆれています。子どもと羊はこの数人のおじいちゃんたちがとても好きで、しょっちゅうその前で遊んでいます。子どもと羊は楽しく遊び、笑い声をあげています。ガジュマルの老木もあごひげをはねあげて笑います。かたわらに立つウチワサボテンが緑の腕を伸ばし、彼らといっしょに遊ぼうとしますが、足が土の中にうずもれているので、まったく動けません。子どもと羊はウチワサボテンの気持ちが分かるので、その前に行って彼らと遊びます。

みんなとても楽しく、子どもも、羊も、ガジュマルの老木も、ウチワサボテンもとても楽しく過ごしています。

ある日、一人のおばあさんがとつぜん草地にやってきて子どもに言いました。

「あんたのお母さんが死んだよ。私といっしょにすぐ帰るんだ！」

子どもはそれを聞き、心が何かでふさがれたようになり、涙があふれ出て、大声で泣きました。彼は何かをつかもうとするように両手を伸ばし、そそくさとおばあさんといっしょに去っていきました。

「彼が行っちゃった」

雪のように白い羊がさみしそうに言いました。

「仲間が一人減ったよ」

曲がった二本の角を持つ羊が言いました。

「彼は今までぼくたちから離れたことはなかった。ぼくたちは彼がいないとすべてが変わったみたいで、何をやってもおもしろくないよ」

「きみたちは聞いたかい？　彼のお母さんが死んだ

んだって」

長いひげを持つ年老いた羊が目に涙を浮かべて言いました。

小さな白い羊が耐えかねて泣きだし、しゃくりあげながら言いました。

「彼にはもうお母さんがいないんだ。お母さんと呼びかけても、だれも答えず、これからはおっぱいももらえないんだ。そんな苦しみにどう耐えろというんだろう？」

小さい白い羊が泣くと、みんなつられて泣きだしました。子羊はみんな自分の母親のそばにぴったりと張りついて、お母さんと呼ぶ存在があり、飲むことのできるお乳があることを、この世で最大の幸福だと思いました。

曲がった二本の角を持つ羊が涙をぬぐい、言いました。

「彼にこんな悲しいことが起き、ぼくらがここで代わりに泣いていても、何の役にも立たない。ぼくらは何人か代表を出して彼をなぐさめにいき、そのときに彼に早くここに戻ってくるよう頼むべきだろう」

「それはよい考えだ」

みんなは涙をこらえて言いました。

「きみが代表の一人だね」

みんなは三頭の代表を選びました。曲がった二本の角を持つ羊、さらに巻き毛の白い羊と長い角を持つ灰色の羊が、みんなを代表して子どもを慰問にいくことになりました。

三頭の羊は草地を出発して、道路に沿って歩いていきました。三つに分かれている道までやってきたとき、どの道を行けばいいか分からず、立ちどまってしまいました。

ちょうど後ろから来た人が笑いながら言いました。

「きみたち、道が分からないの？」

巻き毛の白い羊がうなずいて言いました。

「はい。いっしょにいる子どもの母親が死んだんです。彼の家に行くにはどの道を行けばいいか、ご存じですか？」

その人は適当に指さして、笑いながら言いました。

「左のこの道を行きなさい。ちょうど私もそこに行くから、私の後についてくるといい。先にまだ分かれ道があるから、私についてくればまちがえないよ」

三頭の羊はお礼を言って、その人についていきました。確かに先々にはたくさんの分かれ道がありましたが、彼についていったので、まったく迷うことはありませんでした。低くて小さな家の前に着くと、その人は板でできた戸を開け、羊たちに言いました。

「子どもはここにいるよ。入りなさい」

三頭の羊は、母を失った子どもを早くなぐさめようと、急いで入っていきました。しかし、なんということでしょうか。とつぜん、後ろの戸が閉まってしまいました。羊たちはだまされ、羊小屋に入れられてしまったのです。翌日、その人は三頭の羊を殺し、売ってたくさんのお金を手にして、自分も羊肉を腹いっぱい食べました。

その日の夜、羊の持ち主は入り口に立ち、草地の羊がまだ戻っていないのを遠目に見て、急いで追い立てました。彼は子どもがどこにもいないので、怒りだしました。

「この子はわんぱくすぎる。いったいどこへ行ったんだ。こんな時間になってもまだ羊を連れ帰らないなんて」

主人は羊を小屋の中に追いこみ、数を数えると三頭足りません。彼の怒りはますます激しくなり、竹ざおを持って、羊をめちゃくちゃに叩きました。その夜、ベッドに横たわっても彼の怒りはおさまらず、寝ることができません。窓の外が少し明るくなったころ、彼はようやく腹を決めました。

その日の夜、羊たちはみんな恐ろしい夢を見ました。子羊は母親が死に、母親の冷たくなったおっぱいをくわえて、ひたすら泣いている夢を見ました。大きな羊は、主人が手に持つ竹ざおが急にピカピカ光る刀に変わり、頭が切り落とされ、首が耐えがたいほど痛む夢を見ました。お母さん羊は、自分の子どもが魔物に連れ去られ、四本の足でけんめいに追いかけてもどうしても追いつけず、最後には転んで目を覚ましました。

翌朝早く、羊の持ち主は人を呼んで、こう言いました。

「羊の飼育は面倒で損をするから、こんなことをやるのはバカだけだ。羊をぜんぶおまえに売ってやるから、おまえが持っていって好きに殺して売るといい」

その人はお金を払い、長い縄に羊を数珠つなぎにして、引いていきました。

羊が恐ろしい夢を見ていたころ、子どもの母親はかんおけに入れられていました。このかんおけは子どもがあちこちの村をまわり、何度も頭を下げてどうにかかき集めてきたお金で買ったものです。子どもは母親の胸の前に張り付くように、かんおけに寄り添って眠りました。しばらくして彼は目覚め、もう夜が明けているのを見て、羊たちがどうなっているか気になって、急いで草地へと駆け戻りました。

草地には羊が一頭も見当たらず、小屋に入っても羊の影も形もありません。彼はあせって羊の持ち主に会いにいきました。

持ち主は顔をこわばらせ、彼に言いました。

「のこのこと今ごろ帰ってきたのか。私はもう羊を売り払ってしまったぞ。もう羊は飼わないから、おまえに用はない」

子どもはこの話を聞き、転んでしまったようなショックを受けました。地面に転んだのではなく、よりどころがまったくない宙（ちゅう）に転んでしまったみたいです。彼（かれ）は自分が羊（ひつじ）の持ち主の家の門をどうやって出ていったかも分からない状態（じょうたい）でした。

草地には、このときから羊も子どももいなくなりました。ただウチワサボテンが黙（だま）ってそこに立ち、ガジュマルの老木（ろうぼく）が長いひげをゆらしながら、黙ってため息をついているだけでした。

一九二四年一月十日

かしこい野牛

遠い遠いところにある林の中に、野牛の群れが住んでいました。彼らは自由に草を食み、自由に遊び、行ったり来たりしながらいつも群れをなしていて、とても楽しく暮らしていました。

ある日、彼らが林の中の草地を散歩していると、とつぜん緑の服を着た郵便配達の人がやってきて、彼らに一通の手紙を渡しました。手紙を受け取った牛がしげしげと封筒を見て、うれしそうに叫びました。

「都会に住んでいる同族から手紙が来たよ！」

近くの牛がそれを聞き、すぐさま集まって来て、みなうれしそうに叫びました。

「早く開けて読もう！」

手紙を受け取った牛は手紙を開けると、大きな声で読み上げました。

私たちは会ったことはありませんが、遠い遠い場所に私たちの同族、つまりあなたがたが住んでいるということを祖先から聞いて知っています。私たちはいつもあなたがたのことを想っていて、いつかいっしょに集うことができたらといつも願っていました。

長いひげのヤギや大きなおなかのブタは私たちの同族ではないと、あなたたちは思うでしょう。でも、私たちは彼らといっしょにぶらぶらしたり、いっしょに出入りしたりするのがうれしいのです。ましてやあなたたちは、私たちの同族なのです！

私たちはここで快適に暮らしています。すまいは快適で、瓦屋根の家です。食べ物もとてもよく、おいしい柔らかい草です。あなたたちがここに来て、こうしたものを共有できたらいいと思います。あなたたちの住む林では、雨が降るとたいへんでしょう。あなたたちにはおそらく細くて小さいチガヤくらいしかないでしょうから、おなかいっぱいにはなりませんよね。来てください。私たちとこれらのよいものを分け合いましょう。

今はいろんなことが便利になっています。遠いからと言わないでください。汽車にのれば、たった三日で着きます。汽車にのったことはありますか？　とても快適で、車両は木の板で囲われていて、二枚の木の板の間にすきまが一本あいていて、通気がよく、外の美しい景色を見ることができます。一度体験してみてください。きっと、汽車にのって来てくださいね。

私たちはここであなたたちを歓迎する準備をしています。

都会に住むあなたたちの同族より

野牛たちは手紙を読んで、とてもうれしく思いました。あんなに遠くにいる同族が、遠い場所にいるにもかかわらず、彼らのよいものを分け与えてくれるというのです。でも問題があります。すぐにみんなでいっしょに行くか、それともすぐにではなく、数日したら行くかです。

一頭の野牛が言いました。

「行ってみてもいいな。でもぼくたちは汽車にのったことがないし、それがのり心地がいいかどうかも分からない。きみたちは手紙で言っていることを聞いたかい？　とても便利だと言うけど、三日ほどかかるそうだよ」

また別の野牛が言いました。

「彼らは瓦屋根の家と言っているけど、私たちはそこに住み慣れるかしら。お天道様が見えないし、まわりも囲まれて見えないなら、中に住んでいたら、ちょっと気が滅入ってしまうのではないかしら」

三頭目の野牛が言いました。

「彼らはおいしい柔らかい草を食べていると言っているけど、おなかいっぱいにならないんじゃないか、ぼくは心配だ。ぼくらは古い丈夫な草を食べているから、かみごたえがあるけどね」

彼はそう言うと、頭を下げて草に一口かじりつき、味わいぶかげにかみました。

四頭目の野牛は言いました。

「でも彼らの好意を無にはできないよ。適当な方法を考えないとね」

あるかしこい野牛が頭を上げて、しっぽを振って言いました。

「彼らはぼくらが行くのを歓迎しているし、ぼくらも行きたいと思っている。ぼくらが恐れているのは、行くときたいへんではないか、着いても、そこに住み慣れないのではないかということだよね。先にだれかが状況を見にいって、そのとき彼らの好意にお礼を言うというのはどうかな。そこがほんとうにいいところなら、後からみんなで行けばいい」

「それはいいアイデアだ！」

野牛はみないっせいに叫び、同時にしっぽを振って賛意を示しました。

一頭の野牛は言いました。

「きみが行けばいいと思う。きみがいちばんかしこいから」

「賛成！　賛成！」

みんなはまたしっぽを振りました。

そのかしこい牛はすぐに行動することにし、野牛全体を代表して、都会に行って同族に会い、彼らの生活状況を見せてもらうことになりました。

かしこい野牛は都会に着くと、汽車から降りました。彼は汽車もおもしろいものだと思いました。木がみんな後ろへ走っていって、平地がいつもあそこでぐるぐるまわっているなんて、今まで見たことがありません。ただ車両の中はあまりにきゅうくつで、あちこちに乗客がいて、身動きがとれません。もし都会に住んでいつもこんなものに乗らねばならないのなら、あまりにふゆかいです。

彼はそう思いながら、あたりをきょろきょろ見わたしました。向こうにいた牛の大群が彼を見て、すぐに走ってきて、叫びました。

「ようこそ、ようこそ！」

続いてみんなが彼を取り囲んで、彼の顔にふれて、あいさつをし、彼を取り囲んで家まで連れていきました。

家に着いた後、彼らは家を見せて、えさ箱の草を食べるように言いました。そしてこれはぜんぶ人間が準備してくれたもので、彼ら自身が心配する必要はなく、もし外に出ていくのが好きでなかったら、一年中ここにいても何の心配もないと言いました。

かしこい野牛はよく分からずに、聞きました。

「人間はどうしてきみたちに家と草を準備してくれるの？」

「それはほかでもない、ぼくらと仲良しだから、これらのものを準備しておいてくれるのさ」

「そんな簡単なことかい？　じっくり観察して、理解する必要があるみたいだね」

「まあ、見てなって」

都会の牛はいっせいに笑いました。

「ここに何日か住めば、ぼくらの生活がどんなに快適か、人間がぼくらにいかによくしてくれているか分かるから」

野牛は何日か暮らしましたが、この家はとてもきゅうくつで、林の中のようなさわやかな風がまったくありません。草は柔らかいけど、野に生えた草のようにかみごたえがなく、味がありません。でも、これらはみなたいしたことではなく、彼がほんとうに知りたいのは、人間と彼らの友情はどんなものなのかということです。

彼らといっしょに外に出て、しばらく遊んでいると、彼はこのことについて知ることができました。

家に戻って、彼は親切に彼らに忠告しました。

「きみたちはかんちがいしているよ。ぼくは人間ときみたちが仲良しだとは思わない。じゃなければ、どうしてムチできみたちを打つんだい？」

「それにはわけがあるんだよ。ぼくらが道をまちがえてこっちに向かわず、呼んでも来ないので、彼はムチを使って教えたんだ。これはムチで打ったとはいえないよ」

かしこい野牛は彼らに注意をうながしました。

「きみたちはほんとうにごまかされている。もっと恐ろしいことがきみたちを待ち受けているにちがいない。この人間は実は家畜を殺す人だよ。さっき彼に近づいたとき、彼の全身から血なまぐさい匂いがしたんだ。まさにぼくらの同族の血の匂いだった。彼がどうしてきみたちに家をたてて住まわせ、草を準備して食べさせるのか、それでもきみたちは分からないのかい？」

都会の牛は少し怖くなり、お互い顔を見合わせて、半信半疑で言いました。

「そうとは限らないよね？」

野牛は言いました。

「そうとは限らない？　まだそうとは限らないと言うのかい？　きみたちを縛り、刀を取り出してきたときには、もう後悔しても遅いんだよ」

「じゃあ、どうしたらいいの？」

数頭の牛が頭を垂れて、しょんぼりと言いました。

野牛は言いました。

「どうかぼくの言うことを聞いてくれ。みんなここから離れるんだ」

「ここを離れる？　どこで寝て、どこで食べるの？」

「世界に行くところはたくさんあるよ。きみたちはただ、足を高く上げて走ればいいだけだ。どこにだって行ける。住むための家って必要かい？　林の中の生活はとても気持ちがいいよ。きみたちはエサ箱の草を食べなきゃいけないのかい？　どこに行っても、地面に生えた草が食べられ、味もここのものよりもいいよ。ここだけでしか生きられないとは思わないでほしい。世界じゅうのあらゆるところがぼくらの生活場所なのだから。ぼくら野牛はこのことを分かっているから、今まで危険な目にあわずにすんでいる。きみたちはずっと危険の中に住んでいる。早くそれを分かってくれよ！」

　一頭の母牛が言いました。

「私たちにここを離れろと言うけど、それは無理よ。私たちが逃げたら、人間が追いかけてくる。私たちが戻ってこなかったら、彼の手にはムチがあるのよ」

　野牛は笑って言いました。

「試したこともないのに、どうして無理と分かるの？　きみたちがばらばらに逃げたら、彼はどの一頭を追えばいいか分からなくなる。彼が追いかけてこなくなったら、みんなで集まればいいんだ」

「ぼくらは自分の命のために、一度試してみるしかないようだね。でも、ここを離れて流浪の生活を送るのは、どんなふうなのか、考えると少し怖いよ」

　翌日、都会の牛は空き地を散歩していて、野牛もその中にいました。

　人間は建物の中で、シュッシュッと刀を研いでいます。

　野牛は彼らに警告しました。

「聞こえるかい？　今がチャンスだ。もう待てない！」

都会の牛はみな震えずにはいられませんでした。互いの顔を見つめあい、言葉もありません。

野牛は勇ましく叫びました。

「生きるためには、勇気を出さないと。みんな忘れたのかい？　足を高く上げて走るんだ。四方に走るんだ！」

彼の声はみんなに勇気を注ぎこんだようです。みなすぐに勇気を振りしぼり、足を高く上げて、四方に走りだしました。彼らはしばらく走って、長く住んだ家といつも行っていた空き地をすべて後ろに置き去りました。

牛を見張っていた人はこんなことをまったく予期しておらず、すぐに手に持った刀を置いて追いかけようとしましたが、どの牛を追いかけたらよいか分かりません。彼が呆然としていると、そのあたりには牛が一頭もいなくなりました。

いくつもの道から、たくさんの牛が集まってきました。

「今までいた場所を離れるのは、こんなにたやすいことだったのか」

みんなは言いました。

野牛は言いました。

「ぼくといっしょに戻って、ぼくらの野生の生活を試してみないかい？」

そこで彼らは野牛の林にやってきて、快適な暮らしを送りました。

一九二四年五月十七日

古代の英雄の石像

古代の英雄を記念するため、その英雄の石像を彫ってほしいと彫刻家が依頼を受けました。

彫刻家はこれを引き受けると、まずこの英雄についての歴史の本を読み、彼の容貌を想像し、彼の性格や気質を想像しました。彫刻家は適当に彫るくらいなら彫らないほうがましで、この英雄を生き生きと彫りだして、見た人にこの英雄について教え、理解させ、そして崇拝させたいと思ったのです。

努力すれば報われるものです。彫刻家は研究し想像して、石像の形を心の中でしだいに仕上げていきました。石像の全体の姿をどのようにすべきか、顔をどのようにすべきか、小さなところでは指先をどのようにすべきか、さらに細かなところでは頭髪一本をどのようにすべきか、彼はみなしっかりと考えました。考えたとおりに彫刻すれば、この英雄は生き生きとした姿となり、死んだ石像でないものができるはずです。

彫刻家は山から大きな石をとってきて、仕事を始めました。彼の心の中ではもう原形ができあがっていて、彫刻を始めたときにはもう成算があり、その大きな石を見て、どの場所を残し、どの場所を削ればいいか、はっきりと分かっていました。たがねを一回また一回と打ち下ろし、のみで一回また一回と刻んでいくと、大小の石の塊が次々と地面へ落ちていきました。夕方に星々が現れるのと同じように、最初はあいまいに、それからはっきりと、この英雄の像はついに彫刻家の目の前に現れました。ほんとうに少しの余分も少しの不足もなく、まさに彫刻家が心の中で考えていたのと同じものです。

この石像は頭を上げ、目は遠くを見ていて、彼の志は遠く無限の彼方にあることを示しています。口を開いて「ああ」と叫んでいるようです。左腕は内側へ曲げていて、力強くしっかりと、下にいる何千何百もの群衆を抱き寄せているようです。右手は強く拳を握りしめて前に伸ばし、筋肉がまるで老樹の幹のように盛りあがり、彼を少しでもあなどる者は、遠慮なしに一発で打ち倒すつもりであることを示しています。

市の中心には広場があり、この新しくつくられた石像はこの広場の中心に置かれました。石像の台座は石を積みあげたもので、この石は彫刻家が彫像をつくりあげたときに削り落としたものです。これは一種の新しい装飾的建築法で、彫刻家は大きな石をそのまま台座として使うよりもはるかにいいと言います。台座はとても高く、人々が市場にやってくると、まずこの石像が目に入りますが、パリに行くとまず目に入るあの鉄塔と同じと言えましょう。

彫刻家は、古代の英雄の石像を彫りあげて、みんなを満足させ、名をあげました。

石像の成功を祝うため、盛大な記念式典が開かれました。市民は市の中心にある広場に集まり、石像の下で敬礼し、歓呼の声をあげ、歌って踊りました。そしてお酒をたくさん飲み、押し合いへし合いして、何百もの服が破け、多くの人がひざをすりむきました。その日から、みんなの心の中にはこの英雄がいるようになり、目の中にもこの英雄がいて、何をするにも以前よりも力にあふれ、意味があると感じるようになりました。だれもがこの石像の下を通り過ぎるとき、立ちどまり、恭しくおじぎをし、そして歩み去るのでした。

傲慢という病気は、聖人かバカでもない限り、だれもがかかりやすいものです。彫られて英雄像となった石は、聖人でもバカでもなく、ただの石だったので、人々がこのように自分を敬うのを見ると、しぜんと傲慢になってしまいました。

「オレの栄誉を見ろ！　オレは特殊な地位にいて、あらゆるものより高いところに立っている。市民はみんな下にいてオレにおじぎをしていく。オレは彼らが心からやっていることを知っている。こうした栄誉を得るのは難しく、神聖な仙人や仏さまでもかなうまい！」

彼のこの言葉は空に浮かぶ白雲に向かって言ったものではありません。白雲は元気がなくて、彼の話を聞く気分ではありませんでした。また、ゆらゆらゆれている木々に言ったものでもありません。木々は忙しく、彼の話を聞いている暇はなかったからです。彼のこの話は、彼の下に敷きつめられている仲間である大小の石たちに向かって言ったものです。傲慢な態度を仲間たちの前で見せるのは、世間ではよくあることです。でも彼はずっと頭を上げ、目は遠くを見ていて、自分の仲間たちをちらりとも見ないために、あまりにも傲慢に見えたのでした。彼は自分の仲間たちを見下し、彼らに近づくまでもないと思っていて、さらには「お前たち、オレの下に敷かれた者たちが、何だというのか」という、思わず口からついて出そうな言葉を飲みこんでいたのです。

「おい、上にいる友だちよ、いったい何に惑わされているんだい？　以前のことを忘れるとは」

台の隅にいる小さな石がゆっくりと、酔っぱらいに話しかけるように、一言一言はっきり、しっかりと言いました。

「以前がどうだというんだ？」

上の石は意表をつかれたように感じましたが、傲慢な態度を捨てようとはしませんでした。

「以前はあんたもぼくらといっしょだったじゃない

か。あんたもぼくらもなく、ぜんぶがひとかたまりだったよ」

「まちがいない。以前はみんなひとかたまりだった。でも、彫刻家の手によって、分けられたんだ。たがねを一回また一回と打ち下ろし、のみで一回また一回と刻みつけ、きみたちはみんな落とされたんだ。オレだけが、栄誉あって尊く、市民全体の崇拝を受ける彫像となったんだ。オレが高々と上にいるのは当然のことだ。まさかきみたちはオレと平等だなんて思っていないだろうね。もしオレと平等になりたいなら、まず地と天を平等にすることだね！」

「ハハハ！」

別の小さい石が耐えきれずに、声を出して笑いました。

「何を笑っている！　礼儀知らずめが」

「あんたは以前のことを忘れただけでなく、今のことも忘れているようだ」

「今が何だというんだ」

「今だって、あんたは実際にはぼくらと分かれていないんだよ。みんな一つで、単に形が変わっただけだ。見ろよ、あんたの頭のてっぺんからいちばん下のぼくらの層までいっしょにくっついているじゃないか。それに、今みたいな形になったために、あんたの地位はかえって不安定になったんだよ。あんたはぼくらの上に立っているから、ぼくらが揺らせば、あんたはお高くとまっていられな……」

「お前らのほかに、世の中に石がないとでも言うのか」

「わざわざ別の石を探そうなんて考える必要はないよ。そのときにはあんたはもういないからね。下に落ちたら粉々に砕け、ぼくらとまったく同じになってしまうんだ」

「この礼儀知らずめが、でたらめ言うな！　オレを脅そうって言うのか！」

上の石は怒り、自分の威厳を失うのが恐くて、大声で犯罪者や奴隷を叱りつけるかのようにどなりました。

「彼は信じていないよ」

積みあげられ台となっている石ぜんぶがいっせいに言いました。

「すぐに彼に見せてやれ、彼を放り出せ！」

上の石はおどろいて跳びあがり、怒っているのも、自分の尊厳もしばらく忘れ、哀願の口調で言いました。

「やめてくれよ、友だちだろう。いっしょにくっつけられた友人よ、どうしてわざといじわるするんだ？　まったくきみたちの言うとおりだ。私も信じるよ。お願いだからオレを放りださないでくれ」

「ハハハ！　信じるかい？」

「信じる、ほんとうに信じる」

危険は過ぎ去ったようです。一年を経た草の根が、冬が過ぎたらすぐに若芽を出すように、傲慢がまた頭をもたげました。上の石は口調をすこし和らげて、相談するような調子で言いました。

「オレはきみたちよりもちょっとばかり高貴だと思うんだ。だって、オレは英雄を表現していて、その英雄は歴史上とても有名なんだ」

ある小石があざわらうような口調で言いました。

「歴史はすべて信用できるの？　数千年前の人が自分の中で考えたことでも、歴史を書く人はみんな知っていて、すべて書き記すことができるとでも？　歴史はすべて信じられると思うのかい？」

別の石が続けて言いました。

「とくに英雄は、もしかしたらまったく普通の人、いや、ひょっとしたら悪い奴だったかもしれない。歴史を書いた人がそう言いさえすれば、英雄になっちゃうんだ。どのみちだれも過去にさかのぼって確かめることはできないからね。さらにでたらめなことに、そんな人は存在せず、でっちあげでも、人がそう書けば、英雄になっちゃうんだ。哪吒〔道教の少年神で、『封神演義』や『西遊記』にも登場する〕も孫悟空もみんな英雄だろ？　これはみんな小説の中の人物だけど、人々の心の中に根を下ろしている。この種の小説も歴史と同じようなものだ」

「オレが表現しているこの英雄は、そんな中身のないものとは思わないね」

上の石は不機嫌になり、下の石をどうにか説得しようとして言いました。

「市民がこのように彼を記念し、崇拝しているからには、歴史上、ほんとうに英雄だったにちがいない」

「そうとも限らないよ」

六、七個の石が同時に続けて言いました。

利口な石がつけ加えて言いました。

「市民の最大の能力とは、中身のない空虚なものを記念し、空虚なものを崇拝することだからね」

上の石はさらに不機嫌となり、ひとりごとのように言いました。

「中身がなく空虚だって？　オレは人に崇拝されることはいつだって栄誉なことだと思ってたよ。まさかオレがだまされているとは……」

小石もまたひとりごとのように言いました。

「私たちはだまされているだけでなく、苦しめられているよ。一生空虚なものの下に敷かれているんだから……」

みんなはそれ以上何も言わず、考えこんでしまいました。

夜更けになって、石像は水泳する人が高いところから水に飛びこむように、とつぜん倒れました。地面からはるかに高いところにいたので、大きな衝撃を受け、粉々に砕けました。石像はその下の台とともに、まったく原型をとどめず、大小の石ころとなって、地面に山積みになってしまいました。

翌日早朝、市民は石像の前を通り過ぎ、うやうやしくおじぎをしようとしました。しかし広場の中心には石ころがあちこちに転がっているだけで、石像は見当たりません。みんな顔を見あわせ、一言も言わずに、しょんぼりと去っていきました。

彫刻家はあちこちに転がる石ころのそばで大泣きし、彼の生涯の最大傑作を悼みました。彼は今後彫刻をつくることはないと宣言しました。果たして彼はそれ以降、ほんの小さな彫刻すらつくることはありませんでした。

石が散らばった広場の中心はとても始末が悪く、ある人がこれを使って市外の北へ向かう道をつくろうと提案し、みんなそれに賛成しました。新しい道ができた後、市民は出かけるのに便利になったと感じ、また盛大な祝賀会を開きました。

うららかな陽光が新しい道を照らし、石たちの顔にはみな笑顔が浮かんでいます。彼らは自分たちを賛美して言いました。

「ぼくらはほんとうに平等だ」

「ぼくらはまったく空虚ではない！」

「ぼくらが集まれば、ほんとうの道ができ、人々がその上をうれしそうに歩いている！」

一九二九年九月五日

皇帝の新衣装

アンデルセンはかつて「皇帝の新衣装〔裸の王様〕」という物語を書きましたが、どうやら読んだことがある人は、少なくないようです。

　この物語は新しい衣装を着るのを好んだある皇帝が、二人の詐欺師にだまされるお話です。詐欺師は、彼らがつくった衣装はこの上なく美しいうえに、神秘的な力があって、おろかな人や地位にふさわしくない人には見えないと言いました。彼らはまず衣装の布を織り、続けて裁断して縫いますが、すべて手で空に描いただけでした。皇帝は何度も大臣を派遣し見にいかせました。大臣には何も見えないのですが、自分がおろかだと言われるのを恐れ、さらには地位にふさわしくないと言われるのを恐れて、だれもが「見ました。確かにとても美しかったです」と言いました。新しい衣装ができあがった日、皇帝は盛大な儀式を行い、新しい衣装を着て出かけると決めました。二人の詐欺師は皇帝に新しい衣装を着せました。皇帝にも新しい衣装が見えませんでしたが、人におろかだと言われるのを恐れ、さらには地位にふさわしくないと言われるのを恐れて、まわりの人たちがいっせいに感嘆し、ほめたたえるのを聞くと、満足したと言うしかなく、裸のまま出ていきました。沿道の民衆も見たふりをし、そろって皇帝の新しい衣装をほめたたえました。しかし子どもはほんとうのことを言うもので、ある子どもが「見て、この人服を着ていない」と叫びました。これを聞くと、みんなは顔を見合わせて笑い、とうとう叫びました。

「ああ！　皇帝はほんとうに服を着ていないよ！」

皇帝はこれがほんとうのことで、だまされたことを知り、冷や水を浴びせかけられたように感じましたが、ここまで来てしまったことですし、帰って服を着るとも言いにくかったので、むりやり歩きつづけるしかありませんでした。

その後どうなったかについては、アンデルセンは何も語っていません。でも、実際にはその後、さらにいろいろなことが起きたのでした。

皇帝はそのままずっと歩きつづけ、得意げなようすを装い、背筋をピンと伸ばしていたので、肩と背中が少しこってしまいました。その後ろに続く幻の衣装のすそを引いている従者たちは、自分たちが今とてもおかしなことをしていることを知っていて、笑いたかったのですが、笑うわけにもいかず、ただしっかりとくちびるをかみしめていました。護衛の人たちは、みな地面を必死に見つめていて、仲間と目を合わせようとはしません。お互いに目が合ったら、こらえきれずに大笑いしてしまうのを恐れたからです。

民衆は、従者や護衛の人たちのような訓練を受けていませんので、くちびるをかみしめたり、地面を必死に見つめたりはせず、子どもたちが言葉に出してしまったので、笑い声が湧きあがりました。

「ハハハ、服を着ていない皇帝を見たかい？」

「クスクス、どうかしてるよ。ほんとうに恥知らずだ」

「やせっぽちで、みにくい！」

「見て、彼の腕と太ももを。毛をむしられたニワトリみたい」

皇帝はこうした言葉を聞き、恥ずかしく、また悩ましく、恥ずかしがれば恥ずかしがるほど、悩ましくなったので、立ちどまり、大臣たちに言いつけました。

「お前たちにはあの不忠者たちがあそこでしゃべっているのが聞こえないのか？　どうして知らん顔をしている。私のこの新しい衣装はこの上なく美しく、私だけが着るにふさわしい。着ると、私の威厳はまし、ますます高貴に見える。お前たちはみんなそう言ったではないか。こやつらは、見る目を持たないバカどもだ。今後、私はずっとこの衣装を着るぞ。悪口を言うものはみんなバカで、反逆者なので、すぐさま捕らえて、殺せ！　すぐそうするのだ。すぐに行って言い渡せ。これは法律だ。いちばん新しい法律だ」

　大臣たちは命令を聞かないわけにもいかず、すぐさまラッパを鳴らし、人々を集めるように部下に命じて、この上なく厳しい口調で新しい法律を言い渡しました。果たして笑い声はしだいにやんでいきました。皇帝はようやく胸をなでおろし、また前へと進みはじめました。

　しかしさほど遠くに行かぬうちに、しゃべり声や笑い声が、ささやきから大きくなってきました。

「ハハハ、皇帝は服を……」

「ハハハ、色が真っ黒だぜ」

「ハハハ、あばら骨の一本一本が……」

「なんてこった、新しい服なんてない……」

　皇帝はまたもや耐えきれなくなり、顔の色が怒りのあまり黄と紫のまだらになり、大臣たちに向かって叫びました。

「聞いたか！」

「聞きました」

　大臣たちは震えて答えました。

「出したばかりの法律を忘れたか？」

「い、いいえ……」

　大臣たちは言い終えないうちから兵士に向かって、「笑っている者をすべて捕らえよ！」と命じました。

街は大混乱に陥りました。兵士はあちこちをかけずり回り、野生の馬を追いこむように、逃げまどう人を槍でさえぎりました。人々はあちこちに逃げまどい、つまずく人も、近くの人の肩に跳びあがって逃げる人もいました。泣いている人、叫んでいる人もいて、まさに大パニックです。その結果、四、五十人ほどが捕らえられ、中には女性もいれば子どももいました。皇帝は、その場で死刑を執行するように命じ、彼の言葉に二言はないことを知らしめ、これ以降だれも新しい法律を破らないようにしました。

　それから後、皇帝は当然、別の服を着ることができなくなりました。執務に出かけるとき、後宮に戻るとき、彼はいつも裸で、しかもしょっちゅう手であちこちに触り、衣装のしわを伸ばすふりをしました。彼の側室や従者たちは、最初は笑いをこらえきれなかったものの、長くなるにつれ、一種の能力がやしなわれ、皇帝の黒くやせた体を見ても、すました態度を見ても、何事もないかのように装い、笑わないばかりか、逆に服を着ていると信じているみたいになりました。側室や従者たちにとっては、こうした能力はなくてはならぬもので、もしなかったら、地位はおろか、命を保つことすら難しいのです。

　しかし、世の中には何事も例外があって、たまにうっかりドジを踏む人もいます。

　そのうちの一人が皇帝のいちばんのお気に入りの側室でした。ある日、彼女は皇帝がお酒を飲むのにはべっていて、皇帝に取り入ろうとして、杯いっぱいに入った真っ赤なワインを皇帝の口元に運びながら、甘えて言いました。

「一口でお飲みくださいませ、あなたさまの寿命が天地と同じように永久なものとなりますように」

　皇帝は喜んで、口を開き、一口で飲み干しました。

でもあせったのでしょうか、せきが出て、たくさんの酒を吹きだし、胸についてしまいました。

「あら、お胸が汚れてしまいました」

「なに？　胸だと！」

妃はすぐさま気づき、ピンクの顔が灰色になり、ふるえながら言いました。

「ち、ちがいます。衣装が汚れて……」

「言い直しても無駄だ。私が服を着ていないと言ったのだろう。よし。バカめ。おまえは不忠で、法を犯した！」

皇帝は怒り、くるりと向き直ると従者たちに、「彼女を死刑執行官のところに連れていけ！」と命じました。

また、とても学のある大臣がいました。彼も仲間たちとともに無理やりあの笑わない能力を身に付けましたが、皇帝が一糸まとわず、玉座に座っているのを見ると、毛をそったサルのように思えてきました。彼はいつも、うっかり笑ったり、言いまちがえたりして命をなくすことにならないか、ビクビクしていました。そのため、彼は田舎に戻り、年老いた母の面倒を見るとウソをつき、皇帝に辞職を願い出ました。

皇帝は「親孝行はよいことだ。辞職を許そう」と言いました。

大臣は皇帝にお礼を言い、身をひるがえして御前から下がっていくと、肩から五十キロのかせを下ろしたかのように心が浮き立って、「ああよかった。もう服を着ていない皇帝を見ないですむ」とひとりごとを言いました。

皇帝は「服」という言葉を聞いたように思い、下に控えている家臣に「彼は何と言ったのだ？」と聞きました。

家臣が皇帝の顔色をうかがうと、ひどく険しいので、ウソを言うのもはばかられ、ほんとうのことを言いました。

皇帝の怒りが炎のごとく噴出し、「そうか。お前は私を見たくなくて、帰ろうと思ったのか。それではお前を永遠に帰りたいと思えなくしてやる！」と言い、すぐさま従者に、「彼を死刑執行官のところに連れていけ！」と命じました。

この二つの事件があってから、朝廷でも後宮でも、人々はさらに用心ぶかくなりました。

でも一般人には側室や家臣たちのような、あの笑わない能力はなく、皇帝が出てくるたび、彼のとりすました顔つきや、彼のひからびた薪のような体を見ると、とやかく言ったり、議論したり、笑ったりするのをがまんできません。その結果、また残酷な殺戮が引き起こされました。皇帝が天を祀った日には三百人余りが殺され、大閲兵式の日には五百人余りが殺され、都の巡視の日には、たくさんの道を通り、笑った人も多かったので、千人余りが殺されました。

人があまりに多く死に、あまりに悲惨であったため、慈悲深い年老いた大臣は耐えがたくなり、これをやめさせる方法を考えました。皇帝は決して自分の過ちを認めない人であることを彼は知っていて、まちがっていますと言っても、皇帝は絶対にまちがっていないと言い張り、結局自分が損をする結果となります。妥当な方法は、皇帝自らが服を着るように仕向けることです。そうできれば、笑う人もいなくなり、殺戮も自然になくなるでしょう。彼は何日も寝ずに、どうやったら皇帝に自分から服を着させることができるか、考えました。

どうにか方法を思いつきました。その年老いた大臣は皇帝に拝謁し、このように言いました。

「私はもっとも忠実な気持ちから皇帝に申し上げます。皇帝陛下はずっと新しい衣装を好んでいらっしゃり、それはとても正しいことです。新しい衣装をお召しになりますと、ボタンのような小さなものですら、光を放ち、皇帝陛下の威厳がさらにまし、さらに輝かしく見えます。しかし最近、陛下が新しい服をおつくりになるのをお見かけしません。いつも公務でお忙しいので、お忘れになっているのでは？　今お召しになっているのは少し古くなったので、新しい衣装をつくらせ、急いでお召し替えになるほうがよろしいかと存じ上げます」

「古いって？」

　皇帝は自分の胸もとや太ももを見て、手で上から下まで触りました。

「そんなことはない。これはとても神秘的な衣装で、永遠に古くなることはない。私は永遠にこの衣装を着る。私がそう言ったのをお前は聞かなかったのか？　私に着替えさせようとは、私がみにくい、だめだと言っているようなものだ。お前はずっとよく仕えてきたし、年もとっているので、殺さないでおいてやる。監獄に行け！」

　その年老いた大臣の当てははずれ、人が殺されるのが減ることはまったくありませんでした。おまけに、笑いものにされることがなくならないため、皇帝は思い悩み、さらに厳しい法律を出しました。この法律は、「皇帝が通ったとき、人民は一切声を出してはならない。声を出したならば、何を言ったのであれ、すぐに捕らえられ、殺される」というものです。

　この法律が出された後、世事に通じた人たちはみなやり過ぎだと感じました。「あざ笑うことが罪になるのはいいとしても、他のことを小声で話すのも罪となり、殺されるというのはおかしい」と彼らは言いました。みんなはひとところに集まり、隊列を組んで皇帝の宮殿の前まで行き、地面にひざまずき、「申し上げたいことがございますので皇帝にお目にかかりたい」と言いました。

皇帝は少しあわてた顔をして出てきたものの、冷静を装い、「お前たちは何をしに来た。まさか反逆するつもりじゃないだろうな」と大声で言いました。

世事に通じた人々は頭を下げたまま、「そんなつもりは毛頭ございません。皇帝がおっしゃるようなことは、夢にも思っておりません」と言いました。

皇帝はようやく胸をなでおろし、たちまち威厳と高貴なようすを取り戻しました。彼は手で実際には存在しないえりを触り、また聞きました。

「では、お前たちは何をしに来た？」

「わたくしどもは皇帝陛下に、言論の自由、笑う自由を与えてくださるようお願いに参りました。身の程知らずに皇帝陛下のことを言ったり笑ったりする者はたしかに罪が大きく、死ぬべきで、殺してもまったくまちがいだとは思いません。わたくしどもはそうではなく、言論の自由、笑う自由がほしいだけなのです。どうか、皇帝陛下、新しくできた法律を撤廃してくださいませ！」

皇帝は笑って言いました。

「自由はお前たちのものだと思うか？　お前たちが自由を必要とするならば、私の人民である必要はない。私の人民であるならば、私の法律を守らねばならない。私の法律は鉄の法律だ。撤廃だって？　フン、そんなことはしない」

彼は言い終えると、身をひるがえし、去っていきました。

世事に通じた人々は、もう何も言えなくなりました。しばらくして、数人がわずかに頭を上げて見ると、なんと皇帝はとっくの昔にいなくなっていました。仕方ありません。みんな戻っていきました。それ以来、だれもが考えを変え、皇帝が来るなり、家の戸を閉めて家の中にとどまり、だれも出迎えなくなりました。

ある日、皇帝は家臣や衛兵をたくさん引きつれ、離宮へと向かいました。通る道はがらんとしていて、人っ子一人おらず、家々の戸は固く閉まっています。通りにはただ、ザッ、ザッという足音だけが聞こえ、夜中にこっそりと行軍しているようです。

でも皇帝はまだ疑心暗鬼で、とつぜん立ち止まると、頭をかしげ耳を傾けました。人家の壁の中から声が聞こえるように思ったのです。彼は厳しく大臣たちに向かって叫びました。

「聞こえたか?」

大臣たちもすぐに頭をかしげ耳をすませ、すぐさま震えながら答えました。

「聞こえました。子どもが泣いています」

「まだあります。女が歌をうたっています」

「酔っぱらいの笑い声のようなものも聞こえます」

皇帝の怒りがまた爆発し、彼は大声で大臣たちにどなりました。

「この役立たずめが。私の法律を忘れたか!」

大臣たちはあわてて、「はい」と答えて、身をひるがえし、「中から声のする戸をすべて開き、男女を問わず、老人も子どもも、みな捕らえて殺せ」と兵士に命じました。

思いがけないことが起こりました。兵士が多くの家の戸を開き、なだれこんで、人を捕らえにいきました。すると、多くの家の男女や老人、子どもがどっと出てきました。彼らは一目散に逃げたりはせず、いっせいに皇帝の目の前に押しかけて、手を伸ばし皇帝の肉を引きはがして、「あんたのウソの衣装を引き裂いてやる!」「あんたのウソの衣装を引き裂いてやる!」と大きな声で叫びました。

これは今までにない混乱した、滑稽な場面です。男の頑丈な手が皇帝の枯れ枝のような腕をつかみ、女の白くうるおいのある握りこぶしが皇帝の黒くやせた胸をたたき、二人の子どもがやってきて、皇帝のわきの下の黒い毛をしっかりとつかみました。水ももらさぬ人垣ができ、皇帝はあちこち逃げようとしましたが、すべて押し戻されました。彼はまたかがみこんで、ハリネズミにならって球のように縮こまろうと思いましたが、できません。いちばんつらかったのは、脇の下がむずがゆかったことで、あまりに耐えがたかったので、彼は力を入れて腕で挟もうとしましたが、うまくいきません。彼はあせって首を縮め、眉をひそめ、鼻を上げ、口をゆがめ、とてもみにくい姿となったので、みんなは大笑いしました。

兵士が家の中から戻ってくると、皇帝はひどいありさまで、まるでスズメバチにたかられて途方に暮れたサルのようで、彼らもいつもの威厳を忘れ、みんなにつられて大笑いしました。

大臣たちは、最初こそあわてていましたが、兵士が笑うのを見て、また、こっそり皇帝を盗み見て、耐えきれずに大笑いしました。

しばらく笑った後、兵士も大臣も、とつぜん、自分たちも人民といっしょに法律を犯したことに気がつきました。以前は人民が皇帝を笑うと、自分は皇帝を助けて人民を罰していましたが、今は自分も人民の側にいます。皇帝を見ると、体には赤や紫のあざが浮かび、ブルブルと震えていて、水に落ちたニワトリのようで、たしかにおかしいです。おかしいものは笑うべきですが、皇帝が笑うのを許しません。これはとんでもない法律ではないでしょうか？こう思ったとき、彼らも人民の後に続いて叫びました。

「あんたのウソの衣装を引き裂いてやる！」

「あんたのウソの衣装を引き裂いてやる！」

皇帝はどうしたと思いますか？ 彼は兵士や大臣まで人民の側についていて、もはや彼を恐れないのを見て、天から巨石が頭上に落ちてきたように感じ、体から力が抜けて地面に崩れてしまったのでした。

一九三〇年一月二十日

本たちの夜話

年老いた店主は灯りを吹き消すと、一歩また一歩と階段をのぼって、寝にいきました。しかし、店の中はこれで真っ暗になったわけでなく、青い月の光が差しこんできて、たちまち仙人でも飛びだしてきそうな神秘的な世界となりました。

店の中の三面の壁ぎわはすべて本棚で、そこにはいろいろな本がずらりと並んでいます。女の子の顔のように真っ白な紙の本もあれば、老人の肌のように黄色くなってしまった本もあります。びっくり鏡に映ったひょろ長い人のような細長い本も、ぶくぶく太った商人を思わせる幅広の背の低い本もあります。表紙に花の枝が描かれ、とても上品な本もあれば、ぐちゃぐちゃな絵が描かれた本もあり、戦争の場面のようでも、虫がたくさんはっているようでもあります。中には背表紙の金文字がキラキラと光って、大商店のネオンサインのように目を引く本もあります。また、素朴な黒い文字で自分の名前が記されていて、充実した内容があるのでゴテゴテと飾り付ける必要はないと人に告げているような本もあります。

この時間はとても静まりかえり、街角にはまったく音がしません。月の足音はもともと聞こえないものですが、月が黙って入ってきて、とうとう本棚の本がみな月の光を浴びました。このとき、これらの本がおしゃべりを始め、互いの気持ちや経験を話したとしたら、どんなにすてきなことでしょう。

ほら、聞いてみてください。やさしい声がして、室内の静けさを破りましたよ。

「向かいの新しくやってきた友人たち、きみたちは生まれて間もないのでしょう？　きみたちの色はみずみずしく、産婆さんの産湯の中から出てきたばかりのようだね」

口を開いたのは、中年の青い表紙の本で、その口調はあれこれ世話を焼くのが好きなやさしいおばさんのようです。

「いいえ、ぼくらはもう生まれて二十年以上になります」

新しく来た友人たちのうちの一冊がこのように答えました。それは赤い上製本で、中の紙はきちんとしていて、真っ白です。

「ぼくらの仲間はぜんぶで二十四冊で、生まれてこのかた、ずっと同じ家に住んでいて、離れたことがありません。最近になってようやくこの新しい場所に来たのです」

「その人はきみたちのことが大好きだったんでしょう？」

青い本がまた聞きました。会話がここで終わってしまうのを恐れていたのです。

「もちろん愛してくれていました」

赤い本はうれしそうに答えました。

「そこの主人はとてもおもしろくて、ぼくらの仲間であればすべて愛していて、ぜんぶ家の中に集めようとしていたんです。彼の家の蔵書室はここよりも大きかったけど、ぼくらの仲間たちがびっしりとつまっていて、まったく空きがありませんでした。本棚はぜんぶ貴重な木材でつくられていて、ガラスの戸や木の戸があって、代わる代わるつけ替えることができるんです。木の戸にはぼくらの名前が刻まれていて、ぜんぶ現代の一流大書家の手で書かれたものでした。ぼくらはその中に住んでいましたが、快適で、光栄で、ほんとうにこの上なく高級な生活を送っていました。本当のことを言えば、ここの本棚のようにぼろくて汚いのは、今まで見たことがありません。でも今は、こんなところにぎゅうぎゅう詰めにされているなんて、なんて運が悪いのでしょう！」

青い本もつられて悲しくなり、ため息をついて言いました。

「世の中なんて、だいたいそのように思いがけないもんだよ」

「でも、二十年以上もいい生活を送ってきたんだから、十分なんですよ」

赤い本はまだ若いので、自分の感傷を紛らわすことができ、また以前の楽しさを思いだし、言いました。

「主人はぼくらを手に入れたとき、心底喜んでいましたよ。とても得意そうな表情を浮かべて、友人に会うたびに『またいい本を手に入れたんだ！』って言っていました。彼の口調は真面目なだけでなく、喜びに満ちあふれていて、ぼくらの価値をどんな珍宝よりも貴重に思っていたかが分かりました。ぼくらの仲間を手に入れるたび、彼はいつもそんなようすでした。これは彼のいいところで、彼は人も物も平等に扱うべきだということを知っていたんです。彼はぼくらを貴重な木材でつくった本棚の中に入れ、このとき以来、ぼくらに触ることはありませんでした。ぼくらがいちばん快適だったのはこの点ですかね。彼は毎日本棚の外からぼくらをこっちからあっちまで見渡し、顔には当然微笑を浮かべ、時にうなずきながら、『こんにちは』と言っているようでした。お客さんが来ると、彼はいつも『私の蔵書を見てくれ』と言うのを忘れませんでした。友人たちは彼とともに蔵書室に入ると、まるで宝庫に入ったかのように感心して『なんてたくさんの蔵書があるんだ』と言いました。すると、彼は謙遜して『なんてことないよ。ほんのわずかだ。でもみんないい本だよ』と言ったものです。多くのお客さんの目の前でこのようにほめられて、ぼくらもとても光栄に思いました。この二十年余りの生活は、快適で、光栄で、とても楽しかったんです！」

「じゃあきみたちはどうしてそこを離れてしまったの？」

この質問は、青い本ののどもとに長らくとどまっていたものでした。

「彼は破産したんです。どうしてかは知りません。彼のようすがとつぜん変わり、眉をひそめ、まったく笑うこともなく、時に頭をかきむしり、時にため息をつくのを、ぼくらは見ているしかなかったんです。古物を買い取る人が十数人やってきて、彼の家の中のものをひっかき回して見て、そのうちの一人がぼくらをここに送ってきました。多くの仲間たちがどうなったかは知りません。もしかしたら数日遅れてここに来て、再び彼らと会えるかもしれないですね」

「そうしたら、おもしろいね。きみたちは主人が破産したためにここにやってきたんだけど、ぼくたちは逆に主人が金持ちになったから、ここに来たんだよ」

そう言ったのは、紫の表紙に金で絵が描かれた本です。この本はぼろぼろではないものの、墨の跡がつき、ほこりまみれで、以前の境遇がさほどよくなかったようですが、本棚がぼろくて汚かったためかもしれません。その口調は滑稽味を帯びていて、娯楽場で鼻を白く塗って人を笑わせる役者のようです。

「どうして？」

青い本が好奇心をそそられ、思わず聞きました。

「金持ちになったのに、きみたちを手放したの？」

赤い本も信じられないようすで言いました。

「ぼくらの以前の主人なら、破産でもしない限り、永遠にぼくらを手放さなかったよ」

「ハハハ、きみたちは知らないんだね。ぼくの前の持ち主は貧しかったから、ぼくや仲間たちを必要としたんだ。お金持ちになって彼の望みがかなったので、ぼくらは用なしになったのさ。彼の経歴はおもしろいから、もし聞きたいなら聞かせてあげるよ。どのみち、今晩は月の光がまぶしくて、寝れないから」

「ありがとう」

青い本が感激して言いました。

「最近ぼくは毎晩ずっと眠れなくて、だれかと話をしてさみしさを紛らわせることができれば、ありがたいよ。ましてやきみの話はおもしろいにちがいないから」

「じゃあ、話そうか。彼は読む必要があるのに本を持っていない人、あるいは本を読む必要があるのに読まない人でもあった。どう言ったらいいかな。彼はもともと貧しく、本屋さんの中に本がいっぱいあり、本の中にはいろんな学問がつまっているのを見て、『もしこうした学問の一部でも学んだら、それがほんの小さいものでも、自分の置かれた状態が少しは改善するのではないか』と思ったんだ。でも彼は本を買えない。そのとき、彼は本を読む必要があったけど、本がなかった。後になって彼はどうにかお金をかき集め、とても大きな期待を持って書店に行って、いちばんほしかった数種類の本を買ったんだ。彼はとても細かく読み、本の中のささいな字の誤りも一つひとつ直すほどだった。彼は賢かったので、新たな発見をした。彼は本を最初から最後までぜんぶ読むのはおろかで、前にある序文だけ読めば手っ取り早いと考えたんだ。序文は往々にして本全体の要旨を述べたものとなっているから、本の概要を知ることができ、つまり全体の要を押さえたと同じことになると思ったんだ。それからは本を買うと、新しく発見した方法で読み、とうとうぼくらをぜんぶ手放したんだ。だから彼の本は、表紙だけが汚れ、初めの数ページだけに彼の指の跡が残っていて、残りはどこもきれいで、ぼくを見ればそれが分かると思う。もし彼に何をしているかと聞いたなら、当然本を読んでいると答えただろう。でも、序文だけ読んで、本を読んだことになるのかな？　だからぼくは、彼は本を読む必要はあっても、本を読まなかったと言ったんだ」

「なるほど、それは笑えるね。彼の発見のどこが賢いと言えるのかな！」

赤い本が率直な青年のように笑いました。

「まだ終わりじゃないよ」

紫の本は故意に冷たい口調で言いました。

「ぼくはまだ彼が金持ちになったところまで話していない。彼がどのように金持ちになったのか、きみたちは知っているかい？　彼は何冊もの本の序文を読み、文章を書いたんだ。『某書数冊の比較研究と批評』というタイトルにして、新聞社に投稿した。数日後、この文章が新聞に掲載され、その後ろには『この文章はとてもおもしろく、各種の学問すべてに通じた人でなければ書けない』という総編集長のコメントがあった。彼は原稿料をもらって、たとえようのないほど喜んだ。彼は『ようやく報われた。状況を改善する道が開かれたから、大またで前進しなくては！』と考え、続けて文章を書いた。本の序文はたくさんあるので、もちろん素材の心配をする必要はなく、原稿料が次から次へと入ってきて、名誉も続いて羽をはばたかせてやってきたので、彼はしだいに立派な人物となっていった。学校は彼に学生の必読書を指定してくれるように頼み、図書館は彼に古い書籍の真偽を鑑定してくれるように頼んだ。新聞社の編集者や講演会の主催者が客間で待っていて、『文章を書いてください』だの、『講演をしてください』だの言っても、彼はしばしば『考える時間がない』と答えたんだ。すると、依頼者は『本に関してなら、あなたは何でも知っているのに、考える必要があるのですか？　あなたの脳みそは大きな海のようなもので、あなたが一さじすくいだすだけで、われわれの滋養ある飲みものになるのです』と言った。彼はさんざんためらったものの、無理やり引き受けさせられ、依頼者は飛ぶように帰っていき、新聞に彼の名前を茶碗ほどの大きさの字で書き、さらに『読書の大家』『あらゆる本を読破』というような文句を付け加えて予告を掲載したんだ。そしてある日、彼は財産を計算しようと思い立った。すると、『あれ、大金持ちになっているじゃないか！』彼は半信半疑でこう叫んだ。彼は自分の太ももをつねり、痛みを感じたので夢ではないと思った。すでに大金持ちになった以上、もはや序文を読む必要はない。やるべきことはたくさんある。彼は古本屋を呼んで、持っている本をぜんぶ売ったんだが、こうして彼はぼくらを完全に手放すことになったんだ。今、彼はあそこで会社を経営しているよ」

「そういうことだったのか」

うっとり聞き入っていた青い本はつぶやきました。

「運ばれるとき、私は車の上から振り落とされ、道に横たわり、仲間たちに早く私を助け起こしてくれと呼びかけたが、だれも聞いていないようだった。みんな、これからどんな境遇が待ち受けているか、心ここにあらずの状態だったからね。後に貧しい子どもが私を拾って、ここへ持ってきてくれたんだ」

紫の本はちょっと言葉を止め、冷ややかに笑いながら、言いました。

「私の心はとても穏やかだ。そんなによい境遇は望んでおらず、ほんとうにぼくを読みたいと思ってくれる主人に巡りあいさえすれば、満足だ」

「ほんとうに本を読んでくれる主人なら、私がいちばんたくさん巡りあったと言えるかな。でも、たいしておもしろくなかった」

　この言葉は、ぼろぼろで表紙もなく、何ページも抜け落ちていて、紙も灰色に変わり、文字も見えるか見えないかという状態の本が言ったものでした。声はしわがれ、途中咳きこんで、聞きとるのもたいへんです。

　赤い本は、ぼろぼろの本の言葉の意味をくみとり、言いました。

「確かにいつも主人に読まれていて、しょっちゅうめくられていたら、疲れてたいへんだよね。おじいさん、あなたがそんなに弱っているのは、ご主人にあまりにめくられすぎたからでしょう？　ぼくのようにまったく主人に触れられることがなければ、楽なんだけど」

「そういう意味じゃないよ」

　ぼろぼろの本は首を振り、また咳きこみました。

「それなら、いったいどういう意味なのか、おじいさん、聞かせてくれませんか？」

　紫の本はさらに聞きました。彼は、心の中であまり納得しておらず、本は人に読まれるもので、読んでくれる人がいるのにおもしろくないと言うなら、本というものが捨て去られても仕方ないのではないかと思ったのです。

「きみたちは私がどれほどの年か知っているかね？」

　ぼろぼろの本は年寄り風を吹かせて聞きました。

「ここには、あなたにかなう本はないのは確かでしょうね。あなたはわれわれの大先輩です」と、青い本がいそいで機嫌をとるように言いました。

「ゼロを一つ落としてもかなわないだろうね。私はもう三千歳だよ」

「ええっ、三千歳！　大先輩なんだ！　われわれの栄誉だね！」と、発言せずに静かに聞いていた本たちも、思わずおどろいて叫びました。

「珍しくも何ともないよ。ただ大昔に生まれただけで、この点を除けばみんなと全く同じだ」

ぼろぼろの本はみんなが静まりかえるのを待って、続けました。

「この三千年余りの間、私は百三十人を下らない主人と会ったよ。けど私が古本屋に流れてきたのは今回が初めてだ。以前は初めての主人が二番目の主人に渡し、二番目が三番目に渡しと、百数十回受け継がれてきたんだ。彼らは師弟関係にあって、先生が教え、学生がそれを受け継いだ。先生は私に基づいて教え、学生は私に基づいて学んだ。第百二十代まで来たときには、学ぶのがしだいに難しくなってきていた。大体のことが分かって学生に教えることができるようになるころには、先生は往々にして白髪の老人になってしまっていた。それから後は当然、より簡単になることはなかったよ。彼らが教え伝えることはどんどん減り、この人の手で三ページ、あの人の手で五ページと抜け落ちて、今みたいなみすぼらしい姿になってしまったんだ」

「おじいさん、くよくよすることはないですよ」

青い本は年寄りが悲しんでいるんじゃないかと気づかい、なぐさめました。

「古いものはいつだってぼろぼろで完全じゃないものです。ぼろぼろで完全じゃないからこそ、古い味わいが生まれるんですよ」

「ぼろぼろで完全じゃないことは、何とも思っていないよ」

ぼろぼろの本は青い本の意表をついて言いました。

「私はただ、私の多くの主人のために悲しんでいるんだ。彼らは私をもとに精いっぱい学び、学び終えると学生に教えた。学生もまた私をもとに精いっぱい学び、学び終えるとまた学生に教えた。私は彼らによって食べられ吐きだされて一代を過ごし、また食べられ吐きだされて一代を過ごしてきた。食べて吐きだす以外彼らは何もやらなかった。私は思うんだが、人はいつだって、世間のために何かことを成さねばならない。世間は大きな海のようなものだけど、一人ひとりがこの大きな海に自分の一さじの水を加えるべきなんだ。私の多くの主人はすべていなくなり、戻ってくることはないが、彼らの一さじの水はどこに行ったのだろう？　もし私がいなければ、彼らは食べて吐きだすことに一生を費やすことなく、もっと役に立つことをしたかもしれない。私は彼らのために悲しみ、同時に自分で自分をうらんでいるんだ。今、落ちぶれて古本屋にいても、まったく悲しいとは思わないよ。もし明日、ゴミ箱に捨てられても、当然だと思う」

「おじいさんの言うことはもっともだ。本を読む必要性も、一概に論じることはできない。おじいさんの出会った多くの主人たちは、あまりに本を読む必要に迫られ、本を読むことしか知らず、読書バカと言ってもよいもので、当然何の意味も持たなかったのでしょう」

紫の本は敬服したように言いました。

月の光はいつのまにか、こっそりと去っていました。暗やみの中で、ぼろぼろの本はまた、むかしの多くの主人たちを悼んで、ため息をつきました。

一九三〇年二月一日

恥ずかしがり草

一本の小さな草が、バラのとなりにありました。

小さな草は背が低くてみにくく、葉は細かくぼろぼろのクシのよう、茎は細くて弱く麻糸のようで、そばに立ってもだれ一人として目を向けようとしません。しかしバラはちがいます。緑の葉はヒスイを彫ったかのようで、花のつぼみはふっくらとしていて、乳牛の乳房のようです。通り過ぎる人はみな、立ち止まってしげしげとながめ、言います。

「本当に美しい。もうすぐ咲きそうだ！」

バラのつぼみの中の一つが、頭を上げて、得意げにこう言いました。

「ぼくらは生まれながらにしてバラで、とてもラッキーだ。将来どんな幸福な生活を送りたいか、今はまだ分からないけど、まず自分の願いを語りあおうじゃないか。春がこんなに長いと、話でもしないと、ちょっと退屈だからね」

「私は楽しい旅行に行きたい」

ピンク色のつぼみが真っ先に言いました。

「私はとてもきれいだし、これは自慢で言うのではなく、目のある人なら信じてくれるわよね。私のこの容貌なら、私といっしょに行くのは金持ちのおじいちゃんではなく、金持ちのおじょうちゃんだわ。そうじゃないと釣りあわないもの。服にはキャラ香がたきしめられ、さらにパリの香水がふりかけられているんだけど、私が彼らのえりに座ると、香りがいちばん強く、新鮮で、すべてを圧倒してしまうの。これってとても栄誉なことじゃない？　列車はね、言うまでもなく一等車。いすにはやわらかなガチョウの毛が敷かれていて、座るとふかふかでとても気持ちがいいの。カーテンは綿で、模様は有名な画家がデザインしたものなの。カーテンを下ろすと、その名画が鑑賞できるし、車両の中の光線がやわらぐので、お昼寝にはもってこいね。カーテンを開けたらもっとすてきで、窓の外にはきれいな森林、緑野が広がっていて、飛ぶように移動していくの。こんな快適な旅行がいちばんいいと思うわ」

「すてきな想像だね！」

いくつものバラのつぼみは、春のぽかぽか陽気にちょっとけだるそうでしたが、話を聞いて元気になり、まるで自分が金持ちのおじいちゃんやおじょうちゃんのえりにいて、一等車にのって楽しい旅行をしているような気分になりました。

でも左のほうから軽いゆったりした声が聞こえてきました。

「旅行に行くのは、たしかにおもしろい。けど、どうして金持ちのおじいちゃんやおじょうちゃんのえりにいなければいけないの？　だれも頼りにせず、自分でやりたいことをやればいいじゃない。それにどうして一等車を選んだのかな。同じ汽車にのるなら、ぼくは四等車をお勧めするよ」

「聞いて、だれかがどこかで変なことを言っているわ」

バラのつぼみたちは頭を上げて見ましたが、空は青く、灌木の中にミツバチが数匹ブンブン飛んでいるだけ。鳥は森の中にでも遊びにいったのか、まったくおらず、話をした者はどこにも見あたりません。バラのつぼみたちが頭を下げて見てみると、ようやく分かりました。となりの小さな草が頭を上げ、ゆらゆらと体をゆすって、弁論家のように相手が答えるのを待っていたのです。

「一等車は四等車よりも快適だから、当然一等車にのるわ」

旅行をしたいあのバラのつぼみが思いつくままに言いました。言ってから、小さい草のようないやしいものに、何が快適かなんて分かるはずもないので、教えてあげなきゃと思いました。そこで教師のような口調で言いました。

「快適とは生活のものさしなの。分かる？　快適に過ごすことで生活は初めて意味のあるものになり、快適でなかったら一生を無駄に生きることになるの。だから食べるものは山海の珍味、着るものは最上級のシルクが必要なの。雑穀を食べ、粗末な布を着ても、なんとか生きていくことはできるけど、山海の珍味を食べ、最上級のシルクを着るような快適さはある？　もちろんないわ。だから、私は雑穀を食べ、粗末な布を着ることはできないの。同じ理屈で、四等車にのっても旅行はできるけど、私はいやね。座席は汚いし、窓は小さいし、きゅうくつで死にそうだわ。なのに、あなたは私に四等車を勧めるって、どういうつもり？」

小さな草は真心をこめて言いました。

「そのような快適か、快適じゃないかは、ぼくも分からないわけじゃないけど、ぼくらはこの世界に快適さだけを求めてやってきたわけではないよね？　ぼくはそうとは思わないし、そうであるべきではないと思う。ぼくらは仲間から離れ一人で生きることはできない。それに、自分は快適でも、となりの仲間たちが苦しんでいたら、自分の快適さのために彼らが苦しんでいると気がついたら、快適さは罪となり、そのときには快適さは苦しみに変わるんじゃないの？　罪であり苦しみだと知っていて、それでもやろうとする人がいるのかな？　快適を求め、おいしいものを食べ、いいものを着て、いいものを使うのは、みな反省を知らない人で、自分の行為が罪であることを知らない人たちなんだ」

旅行に行きたいバラのつぼみは小さな草を軽蔑

し、冷やかに笑って言いました。

「あなたの言うのはつまり、みんな監獄のような四等車にひしめきあって旅行するのがいちばん合理的ということかしら。なら、いちばん快適な一等車は当然必要がなく、あの哀れな四等車に線路の上を行ったり来たりさせるしかないけど、それを退化と言わずして何と言うのかしら？　あなたはまだ知らないかもしれないけど、私たちの目的は世界を退化させることじゃなくて、進化させることなのよ」

「あなたは進化と言いましたね」

小さな草も冷やかに笑いました。

「思わず笑っちゃいました。あなたは自分が一等車にのって、他人がブタやヒツジのように四等車に詰めこまれているのを見て、これが進化に向かっていると言うのですね。私の考えでは、わずかでも公平な心を持つ人ならば同じように世界の進化を望みますが、みんなが一等車にのれないなら、むしろ四等車にのるのを望むと思います。四等車は快適ではないけど、自ら不公平なことをするより、はるかに快適ですよ」

「ブー、ブー、ブー！」

バラのつぼみたちは小さな草を嫌い、劇場で観客が悪役に対してするのと同じように、彼にブーイングをしました。

「無知なチビのくせに、でたらめを言うな！」

「私たちはやはり、自分の希望を語ろうよ。だれが先に言う？」

あるバラのつぼみがみんなに促しました。

「私は花の品評会で一等賞をとりたいわ」

そう言ったのは、開きかけたバラの花で、やわらかに声を震わせ、こびを売るようなようすで言いました。

「この品評会に参加するのは、平凡な花や野の花ではなく、世界で最高級の、稀有なものばかりで、しかも心をこめて栽培され、育てあげられたものばかり。一言でいえば完全に高級な生活の中で育てられたものなの。この会で一等賞をとるのは、世界一の美人に選ばれた女性と同じで、この上なく名誉なことなのよ。さらにその審査員には、だれ一人としていいかげんな人はいなくて、みな深い造詣と正確な審美眼を持ち、花の姿がどのようであればよいか、色がどのようであればよいかを知っていて、歴代の品評会の記録を参考とし、過ちをおかすことは全くないの。彼らが一等賞と判じたものは、ほんとうのいちばんであり、これはとても誇れることなのよ。それに、色華やかで香しい会場の中には、高貴で優雅な男女の観客がいっぱいいて、ただ私一人がいちばん高い紫檀のテーブルの上の古い花瓶の中に立ち、会場全体の中心にいて、あらゆる観客の視線を集めるの。見て、花を愛するおじいさんが、ひげをつまみながら私に向かってうなずき、富豪が腹の皮を伸ばして私に見とれ、美しい女性も私に向かって赤いくちびるの隙間から微笑をもらすわ。私はこのとき、うれしさに酔いしれるの」

「あなたもすてきな想像をするじゃない！」

いくつかのバラのつぼみが声をそろえてほめ称えました。でも、一等賞になれるのは一つだけで、それは自分であり、その半開きのバラではないとみんなが考えていました。品種にしても生活・姿勢・色にしても、自分はあの半開きのバラなどよりずっと上だと思っていたのです。

でも、さっき口をはさんだ小さな草はまた誠意たっぷりの態度で言いました。

「あなたの向上心、他人より強くなりたいという気持ちは確かに悪くないです。でも、どうして品評会で一等賞をとろうとするのですか？　品評会のほかでは、あなたの能力を見せることはできないのですか？　それに、あなたはなぜそんなに審査員たちを信じるのですか？　私から見ると、同じような審査なら、田舎の農民のほうが信頼できますよ」

「またでたらめを言う！」

バラのつぼみたちは、今度はだれが発言したかを知っていたので、下を見ると、やはりそのとなりの草が頭を上げて、体をゆすりながら答えを待っていました。

賞を得たいバラのつぼみは頭をかしげて、小さな草を軽蔑するようにつぶやきました。

「田舎の農夫の審査を信用しろですって？　笑っちゃうわ。どんなことにもプロとアマがいて、アマがどれだけほめても関係がなく、プロの一言にはかなわないのよ。言ったでしょ？　品評会の審査員は学があり、基準があって、参考にするものが多くあり、花に関して彼らは当然百パーセントのプロなの。どうして彼らの審査が信じられないの？」

ここまで言うと高慢な気持ちを抑えきれなくなり、体をねじって、美しさを見せつけてから、続けました。

「もし私をあなたのような、ものを知らないチビといっしょに並べたら、彼らは必ず私を選び、あなたをはずすでしょうね。これは彼らには能力があり、何が美しく、何がみにくいかを判別することができるという証拠よ。どうして彼らの審査を信じられないの？」

「ぼくはあなたと競って、あなたの一等賞を奪おうとは思いません」

小さな草は穏やかに言いました。

「でもあなたがたがもっとも美しいと思っているものは、彼らからすれば見慣れたものに過ぎないということを知っておくべきです。彼らは束ねて大きな丸い皿のようにした菊の花や、枝をひどくねじ曲げた梅の花を見慣れているので、こうした花がいちばん美しいと言います。たとえば、あなたたちバラは、祖先もそんなにぶくぶくと太っていましたか？　もちろんちがいます。なぜなら、彼らはぶくぶく太った花を見慣れているので、それが美しいと思い、庭師もだからこそ、そのように育てるのです。それでもこれが美だと思いますか？　花を愛するおじいちゃんや富豪、美しい女性、そして学があり基準を持つ審査員、彼らはみんないっしょで、よしあしを見分けるのでなく、習慣でやっている人たちです。彼らにほめられたところで、実際には何の意味もないのです」

賞を得たいバラのつぼみは怒って口をとがらせ、言いました。

「あなたの説によると、花の品評会にはだれ一人として審美眼がある人はいないということね。まさか農家のじいさんのほうが、審美眼があるとでも言うんじゃないでしょうね。田舎の農夫に審美眼があったら、世の中の芸術はもうおしまいよ！」

「あなたは芸術と言ったけど」

小さな草は思わず興奮して言いました。

「あなたは芸術とは、わざといびつにねじまげた姿とか、紫檀のテーブルにのった古い磁器の花瓶の中に高々と立つことだと思いますか？　私の考えでは、芸術には生き生きとした生命力、本物の力が必要で、農夫だからといって……」

「チビがでたらめ言うのを聞く必要はないよ」

別のバラのつぼみが言いました。

「見て、花を買いにきた人がいる。もしかしたら私たち、ここを離れなきゃいけないかも」

やってきたのは太ったコックで、腕にかごをさげ、かごの中には腹を割かれたニワトリと、えらの片方が跳ねあがり、片方がたれ下がっている死にそうな魚、そして青菜とレタスが入っていました。コックの後から腰の曲がった老庭師がやってきます。

老庭師ははさみを持ち、カシャカシャと鳴らしながらバラのつぼみをどんどん切っていきました。このとき、ミツバチが葉っぱの下から飛びだし、老庭師は手を刺されると思い、それを地面にはたき落としました。

切られたバラのつぼみたちは、半分は好意で、半分は悪意で、小さな草にお別れの言葉を言いました。

「じゃあ私たちは行くね。栄誉が私たちを待ち受けているから。きみは一人ここに残ると寂しくなるかもね」

バラたちは小さな草の体をちょっと押し、別れがたい気持ちを示しました。

小さな草の全身に恥ずかしさが駆け抜け、歯が欠けたクシのような葉をすぐに閉じて垂らし、恥じ入る子どものように頭を下げ、腕を垂らしました。小さい草は無知で低俗なバラのつぼみたちの代わりに恥じました。退屈なのはまちがいないのに、バラたちはそれをとても光栄だと考えているからです。

しばらくして、小さな草はとつぜん、低いかすかなブンブンという、病人のうめき声のような音を聞きました。小さな草は哀れをもよおし、下を見わたして聞きました。

「うなっているのはだれ？　何か不幸な目にでもあったの？」

「ぼくだよ、ここにいる。老庭師にはたき落とされ、片足にケガをし、とても痛いんだ」

声はバラのしげみの下にある草むらから聞こえてきます。

小さな草がそこを見てみると、ミツバチが一匹いました。小さな草は悲しそうに言いました。

「足をケガしたの？　すぐにお医者さんに行って治してもらわないと、足が不自由になっちゃうよ」

「足が不自由になるって？　そしたら花びらの上に立って蜜を集めることができなくなるよ。それはたいへんだ。すぐにお医者さんにみてもらわなくちゃ。でもお医者さんがどこにいるか知らないんだ」

「ぼくも知らないなあ。あ、思いだした。よく人が『薬の甘草』と言うのを聞くけど、甘草は薬材だから、きっとお医者さんのいる場所を知っているにちがいないよ。となりに甘草がいるから、聞いてみるね」

小さな草は言い終えると、頭をひねって、甘草にたずねました。

甘草は答えました。

「あっちの通りにはたくさん医者がいて、みな入り口のところに金文字の看板をかけていて、そこになになに医師と書いてあるよ」

「じゃあきみはすぐあっちの通りに行って、医者を探して治してもらいなよ」

小さな草はミツバチをうながして言いました。

「きみはまだ飛べる？　もし飛べるなら、そのケガをした足を縮めておいて、またケガをしないようにしないと」

「ほんとうにありがとう。きみの言うとおりにするよ。ぼくはどうにか飛べるよ。ただ、足が痛くて、羽を動かす気力すら出ないんだ。がまんしてゆっくり飛ぶよ」

ミツバチはそう言うと、力をこめて羽を動かして飛んでいきました。

小さな草はミツバチが飛び去るのを見て、ミツバチはすぐによくなるだろうか、もし半月かかってもよくならなかったら、このかわいそうな友だちは仕事に差し支えるのではないかと心配しました。そう思いながら待っていると、かなり時間が経ってから、ようやくミツバチが泣きそうな顔で戻ってきて、羽が折れたみたいによろよろとななめに落ちてきました。ケガをした足はやはり曲がっています。

「どうだった？」

小さな草はあわてて聞きました。

「お医者さんに治してもらえた？」

「治してもらえなかった。通りにいるお医者さんを一とおりたずねたけど、みんな治してくれなかった」

「ケガがあまりにひどくて治せなかったの？」

「ちがうよ。彼らはまだ足を診ないうちから、バカ高い診療代を請求するんだ。お金はないとぼくが言うと、なら治せないって言うんだ。だからぼくは、『医者は病気やケガを治してくれるためにいるんじゃないの？　ぼくはケガをしているのにどうして治してもらえないの？』と聞いたんだけど、彼らは逆に『病気の人をみんな治してあげていたら、私たちはお腹いっぱい食べて何もせずに過ごしていられると思うかい？』と聞いてくるんだ。だからぼくは『医術を知っているあなたたちは、病人を治療することで社会に奉仕する人たちなのに、どうして腹いっぱい食べ、何もやらずに過ごすなんて言うの？』と言ったんだ。すると彼らは正直に、『そんな力は私たちにはないよ。きみは私たちを買いかぶりすぎだ。私たちは先にお金を受けとって、それから病気を治すことしか知らないんだ』と答えた。ぼくが『診療代、診療代とばかり言うけれど、お金と病気を治すことにはいったいどんな切っても切れない関係があるの？』と聞くと、彼らは『どんな関係だって？　医術を学ぶには先にお金を払わなければいけない。それは人の病気を治してもっとお金を稼ぐためだからだ。お金と治療とを切り離すことなんてできない』と答えたので、ぼくはもう何も言うことができなくなったんだ。ぼくは診療代を払えず、足をケガしたまま飛んで戻ってくるしかなかったんだよ。ねえ、世間にはこんなに多くの医者がいるのに、お金がない人は治してもらえないなんて、思いもしなかったよ！」

　ミツバチは悲しみましたが、体がかしいでしまうので、小さな草の茎にもたれかかるしかありませんでした。

また恥じる気持ちが小さな草の全身を駆けめぐりました。歯の欠けたクシのような葉をすぐに閉じて垂らし、恥じ入る子どものように頭を下げ、腕を垂らしました。病気でも医者の門をくぐれず、医者に治療を拒まれる不合理な世間に代わって恥じたのです。

しばらくして、短い上着にズボンをはいた男がやってきて、小さな草を買い、鉢の中に入れて持ち帰り、家の入り口に置きました。家はかやぶきで、土でつくられた壁があり、窓はなく、低くて狭い入り口があるだけです。入り口から中を見ると、中は真っ暗です。この家の近くにさらに家があり、ここもまた同じようすです。このようなかやぶき屋根の家が二列に向かいあって並んでいて、その間に小さな路地があり、泥だらけで、ものすごく汚く、ハエがたかっていて、水たまりが数か所にあります。この水たまりは深く、黒ずんでいて、水の上には油が浮かび、よく見ると水面に何やらうごめくものがあり、なんと無数のボウフラが泳いでいるのでした。

小さな草があたりを見回していると、とつぜん制服を来た警官が数名やってきて、短い上着にズボンをはいたその男を呼びだし、怒りをあらわに言いました。

「引っ越せと言っているのに、どうしてまだここに居座っている！」

「引っ越す場所がないんだよ」

男は浮かぬ顔をして答えました。

「でたらめ言うな！　市内には空き部屋がたくさんあるじゃないか。借りもせず、引っ越す場所がないなんて言うんじゃない！」

「家を借りるためには金がいる。でもオレには金がないんだよ！」

男は言いながら、両手を広げました。

「金がないのは関係ない。お前たちのこのボロ家は最悪なんだ。火がつくと数百軒の家が焼けてしまうし、またこんな汚いと、疫病でも発生しようものなら、どれだけの人が死ぬか分からない。はやく取り壊さねばならないんだ。もう待つことはできない。ここに立派な市場を建てるために、あさってから工事を始める。さあ、早く引っ越せ！　ここに居座ろうとしても無駄だからな！」

「どこに引っ越せというんだ！　道ばたで生活しろとでも言うのか！」

男も怒りました。

「お前がどこに越そうが知ったこっちゃない。どのみちここからは出ていってもらう」

そう言って、警官がわらぶき屋根の家に入るやいなや、室内から何かが飛んできて、地面にバンという音をたてて落ちました。それはご飯を炊く鍋で、鍋は地面を転げて、小さな草の入った鉢に当たりました。

また恥じる気持ちが小さな草の全身を駆けめぐりました。歯の欠けたクシのような葉をすぐに閉じて垂らし、恥じ入る子どものように、頭を下げ、腕を垂らしました。立派な市場を建てるために、住む場所のない人の家を奪うという不合理な世間に代わって恥じたのです。

この小さな草は「恥ずかしがり草〔オジギソウのこと〕」と呼ばれていますが、この草が恥じるのは、上に述べたわずかな事柄だけであったかは、分かりません。

一九三〇年二月二十日

カイコとアリ

サーッ、サーッと、秋の雨のような音をたて、カイコはみんなそこで桑の葉を食べています。カイコは葉のよしあしを気にもせず、この世に生まれてきたのは桑の葉を食べるためだとばかりに、ただひたすらに食べ続けています。

あっという間に桑の葉は、葉脈を残すだけの、丸坊主になりました。カイコの灰色がかった白い体が完全に露出し、連なって一つの面となりゆれ動いています。養蚕の人がやってきて、またたくさんの桑の葉をのせると、サーッ、サーッという音がさらに高らかにひびきわたり、秋の風が吹いてにわか雨を呼んだみたいです。

一匹、竹の器のへりに座って、胸を張り頭をもたげ、桑の葉も食べず、まったく動かないカイコがいました。眠ろうとしているのでしょうか？　それともおなかいっぱいになったのでしょうか？　どれもちがいます。このカイコは今考えているのです。その姿はあたかも沈黙して深く考えこんでいる思想家のようです。

どんなことでも、考えさえすれば、最後には分かるものです。

このカイコはまず、自分がこの世に生まれたのは、いったい何のためなのか、桑の葉を食べるという大切な仕事のためだけなのかと考えました。このカイコは祖先の歴史を考え、彼らがどのような経歴をたどってきたのかを考えました。祖先は桑の葉をじゅうぶんに食べてまゆをつくり、人間はまゆをお湯に放りこんで、生糸をとってシルクを織り、華麗な衣装をつくりました。カイコがこの世に生まれてきて行う唯一の大切なこととは、まゆをつくることだということが分かりました。桑の葉を食べるのは大したことではなく一種の手段に過ぎないのです。桑の葉を食べなければまゆをつくれず、まゆをつくるためにはまず桑の葉を食べなければならないのです。そう考えるとカイコは気が滅入りました。一生苦労するのは、すべて何の関係もない人間のためじゃないか。カイコはもう桑の葉を食べたいとは思わなくなり、胸を張り、頭を上げて、ぴくりともせず、竹の器のへりにじっとしていました。

　また新しい桑の葉がカイコの上に置かれ、にわか雨のような音がそれに続いて起こりました。しかしそのカイコだけは、目もくれませんでした。

　近くで呼びかける小さな声がしました。

「ねえ、また新しい葉がきたよ、どうして食べないの？　遠慮していると食べそこなうよ」

　このカイコは振り返りもせずに、ひとりごとのように言いました。

「きみたちは、食べることしか知らないんだね。ぼくはもうじゅうぶん食べておなかいっぱいだから、食べたくないよ」

「きみはきっとどこかでもっとおいしいものを食べてきたんだね」

　そう言うと、答えも待たずに、口で桑の葉のへりを上から下へとかじっていきます。

「もっとおいしいものだって！　きみたちは食べることをやめ、頭を働かせることはできないのかい？　ぼくがおなかいっぱいなのは、いやだからで、ひどくいや気がさしているからだ」

「きみは何がいやなの？」

「何がいやかって？　仕事がだよ。仕事ほどいやなものはないね。ぼくはこれからもう仕事をしないことに決めたんだ。いま歌をつくったところだから、聞かせてあげよう」

こう言って、カイコは歌いはじめました。

何を仕事と呼ぶのか？
おもしろくない、道理に合わない
何も得られず、力を無駄に使うだけ
われわれは仕事をしなくてもいい
天を見て、地を眺め
年老いて死ぬまで、力を抜き楽しくやろう

でも、話しかけてきたカイコは新しい歌を聞かないうちに、別の桑の葉の裏側にはっていってしまいました。その他のカイコも桑の葉を食べないと決心した仲間がいることを、まったく気にとめていません。

何を仕事と呼ぶのか？
おもしろくない、道理に合わない
……

彼は歌いながら、竹の器の外まではっていきました。仕事をしないと決めたからには、仕事場から離れても問題はないはずです。それに、あの食べることしか知らないバカな仲間たちを見ていると、実に腹がたってくるのです。そのカイコは木の枠から下へとはい降り、すぐここから離れたくて足をさらに急いで動かして、間もなく屋外の地面まで辿り着きました。そこで立ち止まり、耳をすますと、仲間たちが桑の葉を食べる音が聞こえなかったので、胸を張り、頭を上げて、あの「天を見て、地を眺める」「仕事をしなくてもいい」日々をスタートさせました。

とつぜん、針がささったような痛みをおしりに感じたので、思わず体をくねらせ、あわてて後ろをふりかえって見ると、一匹のアリがいました。

そのアリは「なんだ、まだ生きていたのか」とつぶやきました。

「きみはぼくが死んでいると思ったの？」

「きみは地面に落ちた枯れ枝みたいだよ。死んでから少なくとも三日は経っていると思ったよ」

「ぼくの体はそんなにやせている？」

「うん。きみは生きているのに、なんでそんなにやせているの？」

「ものを食べない決心をしたからなんだ」

「いったいどうしたの？　どうして自分から飢え死にしようとしているの？」

「仕事がいやなんだ。ぼくがものを食べるのは、それが仕事だからと悟ったので、食べたくなくなったんだ。ねえ、ぼくが新しくつくった歌を聞かせてあげようか」

アリはカイコが力なく歌う宣伝歌を聞いて、思わず笑いだし、「どこからそのおかしな考えを仕入れてきたんだい？　仕事をしないなんて、命はいらない、種族はいらないというのと同じじゃないか」と言いました。

カイコはあっけにとられてアリを見て、ため息をついて言いました。

「命も種族も、ぼくにとっては何の意味もないよ。お湯で煮られ、糸を一本一本抜き取られることを考えると、目の前は真っ暗だ」

「そんな話、ぼくは聞いたことがない。きみは仕事で疲れすぎ、ちょっと神経がおかしくなっているんだと思うよ。ぼくたちにも歌があるから、聞かせてあげよう。きっと目が覚めると思うから」

「きみたちにも歌があるの？」

「あるよ。ぼくたちはみんな歌える。歌うと、心に花が咲いたようになるんだ」

そう言って、アリは触角を上下に振って拍子をとりながら、歌いはじめました。

ぼくらは仕事を賛美する
仕事こそ命だ
それはぼくらに豊かな報酬をくれ
ぼくらをとても楽しくしてくれる
ぼくらの群れ全体が繁栄することが
ぼくら一人ひとりの幸せだ
仕事！　仕事！
――これがぼくらの永遠の歌声だ

アリは歌いおえると、大きな声で笑い、続けて頭を上げて、足をゆらして、踊りはじめました。アリは踊りながら、「ぼくらの歌は、きみの不運をのろう歌と比べてどう？　どっちに明るい未来があると思う？」と聞きました。

カイコは、きっとこのチビは何も知らないのだ、あの竹の器にいてただ桑の葉を食べ続けている仲間と同じだと思いました。そうでなければどうしてあんなにうれしそうにしているのか、理解できません。そこで「きみたちには、鍋のお湯が待ち受けていないの？」と聞きました。

アリは頭を振り、「ぼくらは冷たい水が好きだから、のどが渇いたら、あっちの池に行って飲むよ」と言いました。

「そうじゃなくて、お湯できみたちを煮て糸をとる『人間』はいないの？」

「『人間』って何？　分からないよ」

カイコは説明しようとしましたが、どう言ったらよいか分かりません。しばらくして、別の質問をすることにしました。

「まさか、きみたちの仕事は無意味じゃないわけ？」

「どうしてそんなことを聞くの？」

アリはおどろいて言いました。

「この世に無意味な仕事なんてあるはずないよ」

「ぼくの言いたいのはきみとまったく逆で、この世に意味のある仕事なんてあるはずがないよ」

「きみは信じないの？　ぼくらを見れば、すぐ分かるよ。ぼくらの仕事には意味のないものなんてなく、少し力を出せば、群れ全体に貢献でき、全体がその恩恵にあずかることができるんだ」

「きみが言うようなことをぼくは想像できないよ。ぼくは仕事をした後、群れ全体が煮られて死んでしまうことしか知らないもの」

　アリはちょっと面倒になり、「頑固だね。どう言っても分かってもらえないなら、自分の目で確かめればウソではないことが分かるよ。ぼくは今仕事をしていて、食べるものを探しにいかなきゃいけないので、いっしょには行けないけど、きみに紹介状をあげるよ」と言って、前足を伸ばして、紹介状をカイコに渡しました。その紹介状に書かれた字は、人類ならば性能の高い顕微鏡でようやく見えるほどの大きさです。

　カイコは紹介状を受け取り、けだるそうに言いました。

「ありがとう。ぼくはどのみち仕事をしようと思わないし、ここでは何もすることもないから、行ってみてもいいかな」

　カイコとアリは別れました。アリはそそくさと走り去り、しばらく走ってから立ち止まり、あたりを見わたし、方向を変えてまたそそくさと走っていきました。カイコはのろのろとはい進み、まるでどの節も、ちょっと移動するのに長く止まる必要があるかのようです。

　カイコはのろのろとはい続け、とうとうアリの国へたどり着きました。カイコは門の前にいる守衛に紹介状を手渡し、心からの歓迎を受けました。アリたちはカイコを連れていって、食糧を運ぶところ、道をつくるところ、家をつくるところ、子どもの世話をしているところなど、いろんな仕事を見せ、さらにトンネルや講堂、育児室、貯蔵室などのいろいろなところを案内しました。カイコはまったくの別世界に来たように感じました。彼らがみな元気に、骨身を惜しまず、忙しそうに働き、でもとても楽しそうでもあり、仕事のすべてがまさに彼らの命であることを見て取りました。最後にぜんぶ見終わると、アリは全体ミーティングを開いてカイコをもてなし、以前あのアリがうたった歌をカイコに聞かせてくれました。

ぼくらは仕事を賛美する
仕事こそ命だ
それはぼくらに豊かな報酬をくれ
ぼくらをとても楽しくしてくれる
ぼくらの群れ全体が繁栄することが
ぼくら一人ひとりの幸せだ

仕事！　仕事！
――これがぼくらの永遠の歌声だ

カイコは注意深く聞き、「仕事！　仕事！――これがぼくらの永遠の歌声だ」というところまで聞くと、思わず涙をこぼしました。カイコはそこでやっと、この世にはほんとうに意味のある仕事があって、アリたちが仕事を賛美するのは確かに理由があることだと信じたのでした。

一九三〇年十二月十七日

クマ夫人の幼稚園

　私は児童雑誌『子どもの世界』にマンガを連載したことがあり、それは長期にわたって続き、「クマ夫人の幼稚園」というタイトルでした。そのクマ夫人が開いた幼稚園には、トラちゃん、ニワトリちゃん、サルちゃん、ブタちゃん、ゾウちゃん、キリンちゃんなどの子どもがいて、とてもわんぱくで、しょっちゅうあの手この手でクマ夫人を困らせて、クマ夫人に叱られていました。物語はみなとてもおもしろく、子どもたちはそれを読んで忘れられなくなりました。夢の中でその幼稚園に入り、トラちゃんやサルちゃんたちと一緒に遊んだ子どももいたかもしれません。

　ここでは、その幼稚園のいちばん最後のお話をしましょう。

　クマ夫人はとても熱心でまじめな教育者です。教育者とは何かというと、子どもたちを教え導き、守って、一人ひとりをよい状態にし、一人ひとりを成長させる人です。教育者の前に「熱心な」や「まじめな」がつくことからも分かるように、クマ夫人は決していいかげんで適当な教育者ではありませんでした。彼女は教育者として、全力を振りしぼり、完全な成果をおさめようとしたのです。

　ある日の午後、子どもたちがお昼寝から覚め、元気いっぱいになり、小さな目をキラキラと輝かせてクマ夫人を見つめていました。彼らは声もたてずに、クマ夫人の口からどんなふしぎな物語が語られるのかを待ち受けているようでした。クマ夫人は子どもたちがこんなに静かなのを見て、とてもうれしく思っていました。

「いつものように大騒ぎをしていない今こそ、ずっと聞きたかったことを彼らから聞きだすチャンスだわ」

クマ夫人は軽く手を叩き――それが、子どもたちにお話をする前の彼女の習慣です――それからおだやかな口調で言いました。「子どもたち、私はあなたたちに聞きたいことがあるの。みんなそれぞれに答えてね。細かければ細かいほどいいわ。隠さずに言いたいことをぜんぶ言うのよ」

ゾウちゃんは少しぼんやりとしていましたが、クマ夫人の話をちゃんと聞いていました。彼は「分かったよ。ぼくはぜったい隠しごとをしないよ。先生、もし信じられないなら、ぼくの頭を開いてみてもいいよ」と言いました。

サルちゃんはせっかちなので、前になぞなぞの答えを当てて、クマ夫人にごほうびのアメをもらったことを思いだし、思わずゴクリとつばを飲みこみました。彼は子どもたちの笑い声に負けないよう大声をはりあげて、「先生、何でも聞いてよ。ぼくたちはすごく細かく答えるから、アメをたっぷりちょうだい！」と言いました。

「アメ！」

「アメ！」

子どもたちはみな、甘さを味わっているように、舌を鳴らしました。

「じゃあ、聞くわよ」

クマ夫人はまた手を何回か叩いて、子どもたちの注意を引きました。

「あなたたちはどうして私のところに来るの？　この意味分かるわよね。つまり、あなたたちは私のところで何を得ようとしているの？　それぞれ自分の希望を私に教えて。自分のことをいちばん知っているのは自分だからね」

トラちゃんがすぐに手を上げて、体を半分起こしました。続いて、別の子どもも手を上げ、みんな答えたいと意思表示しました。

クマ夫人はうれしそうにほほえみました。彼女はトラちゃんを指して言いました。

「私たちのいつものルールどおり、真っ先に手を上げたトラちゃんから、聞かせてもらおうかしら」

トラちゃんは得意げに立ちあがって、ひげをしごいて、二つの目玉をぐるりと回し、自分を勇ましく見せました。彼はよく通る声で、「先生はもちろん、ぼくがどのような種族に属するか、ご存じですよね。ぼくたちは別の動物の血を飲み、別の動物の肉を食べて生きています。つまり目の前にいる仲間たちの祖先の大半が、ぼくたちの祖先の胃に入ったということです」

ニワトリちゃんのようなかよわい子どもは、これを聞くと思わず全身を震わせ、目が固まってしまい、まるで大きな災難が目の前にふりかかってきたみたいです。でもゾウちゃんは何とも思わず、からかうようにトラちゃんに言いました。

「トラちゃん、ここは山じゃないんだから、きみは先祖にならって何か悪さでもしでかそうっていうんじゃないだろうな」

「ちがうよ」

トラちゃんははっきり答えました。

「ぼくはまだ小さくて、まだおっぱいを飲んでいる。祖先にならう必要はないんだ。でも生活の仕方は自然によって決められていて、別の動物の血を飲んだり、別の動物の肉を食べたりしなきゃならないんだ。これにはどんなわけがあるのかな？　ぼくは将来きっと先祖と同じような生活を送るだろうし、これは避ける必要もないと思うんだ」

彼はクマ夫人のほうを向いて言いました。

「先生、ぼくは将来、先祖と同じような生活をしな

きゃいけないから、先生に教えてもらって、先祖と同じ能力を鍛える必要があります。ぼくらには『トラの咆哮』という特殊な技能があって、首を長く伸ばして雄叫びをあげ、まわりの動物をみな動転させ、逃げる気をなくさせ、ぼくらが宴会に行くのをただそこに隠れて待つしかないようにするんだ。こうした技能をぼくは絶対に鍛えないといけないから、先生に教えてほしい。ぼくらには狩りの能力もある。他の動物がまだ遠くにいても、ぼくらは羽が生えているみたいに駆け寄って食らいつくことができるし、大動脈のある部分に食らいついて、彼らを逃がれられなくし、血液のエッセンスを吸いつくすんだ。こうした技術も鍛えなきゃならないので、先生にしっかりと教えてほしいと思っています。これだけです」

クマ夫人は目を閉じ、トラちゃんの話を一とおりなぞって彼の希望をしっかりと覚えました。そしてニワトリちゃんに向かってうなずいて、「ニワトリちゃん、今度はきみの番よ。きみの望みは何？　トラちゃんみたいにはっきりと答えてね」と聞きました。

ニワトリはまず口を開かず、頭を左に向け、また右に向けて、彼が深く考え、とても苦労して考えたことを示しました。

「先生、私たちの種族の運命は知っていますよね。かわいい卵を産んでも、すぐに見えなくなってしまいます。ゴミ箱のそばに行くと、しょっちゅう卵の殻のかけらを見かけます。私たちはいつも一家がそろうことができず、おじいちゃんがいなくなったり、娘がいなくなったりします。どこに行ったかというと、さっきトラちゃんが言ったように、別の動物の胃に入り、それでおしまいです。私は、このような世界はまちがっていると思います。どうしてこうした他の動物の血や肉で生きねばならない動物がいるのでしょうか？　食べられるのはとても苦痛で、他の動物を食べるのはあまりに残酷です。食べられることも食べることもないように世界を変えてはどうでしょう。これはできないことではなく、みんなが心を変え、習慣を変えればいいだけです。先生、私は小さな命に過ぎませんが、志は小さくありません。私は他の人に、心を変え、そのような残酷なことをこれ以上やらないように説いてまわります。近いところから始めると、当然まずクラスメートのトラちゃんです。彼はまだ小さいし、残酷な習慣もまだついていません。私自身について言えば、小さな虫を食べずに野菜や雑穀だけ食べて生きようと決めています。でもどんな方法で他の動物を説得したらいいでしょうか？　私は今まったく自信がないので、先生に教えてほしいです。こんな小さな希望だけで、ほかはありません」

「ぼくは絶対ニワトリちゃんの勧めには従わないよ」

　トラちゃんが手を上げ、クマ夫人が口を開くのも待たず、先に発言しました。

「ニワトリちゃんが言うのはばかげた空想です。食べられたり、食べたりする動物がいなくて、世界が成り立ちますか？　それならばいっそのこと、こんな世界はいらないんじゃないでしょうか。彼の種族の運命がよくないとしても、どうして彼はニワトリに生まれ、ぼくのようにトラに生まれなかったのか、自分をうらむべきです。ニワトリはもともと他の動物に食べられる運命にあるのですから」

　クマ夫人はトラちゃんの話を聞き、どうしていいか分からなくなってしまいました。ニワトリちゃんの言うのも一理あるし、トラちゃんの言うのはまったく逆ですが、一理あるように聞こえます。彼女は、トラちゃんがその場でいたずらして幼稚園の平和をこわすことを恐れて、厳しい口調で彼に言いました。

「トラちゃん、私はあなたの発言を許していません。ちょっと待ってから言いなさい。次はブタちゃんが立って私の質問に答えてね。鼻の音に注意してね。鼻の音が大きいと、何を言っているのか分からなくなるから」

ブタちゃんは言いました。

「詳しく言うまでもなく、ぼくの運命も完全にニワトリちゃんと同じです。でも、ぼくの考えはニワトリちゃんとは全くちがいます。ニワトリちゃんは、これ以上残酷なことをするなと人に勧めようとしていて、トラちゃんはそれが空想だと言いましたが、ぼくは完全に夢に過ぎないと思います。力には力だけが対抗できるのです。一方が力を持っているのに、もう一方はまったくなかったら、バカを見るのも当然です。ぼくらの種族は以前に栄光ある時代を過ごしたことがあり、山林の中で生活し、鋭い牙をはやし山の中を駆けめぐり、だれもあなどることはありませんでした。後に人間に飼育されたため、生活すべてが人間に支配されるようになりました。人間はぼくらに食べものをくれますが、結局は彼ら自身の体を太らせるためです。ぼくらの仲間はこの家、あの家と分散していて、互いに連絡をとることもできず、そのために今のような残念な状況になったのです。でもぼくはそれを嘆いてはいません。未来にはまた明るい道が見えるからです。ぼくら全体がひとつに結びつけば、力は大きなものとなり、それがトラであっても、じゅうぶん対決できるからです！」

ブタちゃんはここまで言うと、小さな目を大きく見開き、勇敢にキラキラさせました。子どもたちはみな、今日のブタちゃんはいつもとはまったくちがうと思いました。彼は意気ごんでいて、まるで戦いにのぞむ戦士のようです。

「よし、じゃあぼくらは将来どちらが勝つか勝負しようじゃないか」

トラちゃんがまた口をはさみました。

「トラちゃん、口をはさんではだめよ。ブタちゃん、話を続けて」

クマ夫人が眉をひそめてトラちゃんを見、そしてブタちゃんを見て言いました。

ブタちゃんは大きな耳を振って話を続けました。

「ぼくらは人間に支配される生活をやめようという志を立てればいいんです。ぼくらがものを食べるのは、ぼくらが生きるためで、人を肥え太らせるためではないのです。そうすれば、栄光の時代が戻ってくるのです。今、先生に教えてほしいのは、ぼくのこうした願いを実現する方法です。互いにばらばらに住んでいる仲間と、どうやったらつながることができますか？　みんながひとつになるような志をどうしたら立てることができますか？　敬愛する先生、この方法が分かれば、ぼくは勇んで自分がやるべきことをやります！」

「うーん」

クマ夫人は眼鏡の上からブタちゃんを見ました。これもまた一つの希望であり、同情に値する願いなので、ブタちゃんを満足させたいと思いました。でも、幼稚園では子どもにたった一つの道しか教えることができず、もしブタちゃんの希望に沿おうとすれば、トラちゃんやニワトリちゃんを満足させることができません。トラちゃんやニワトリちゃんの願いに沿うようにしても、状況は同じです。いったいどの道を選べばよいのでしょう。彼女は本当に決めることができませんでした。彼女は迷いました。考えのない人が分かれ道で、どの方向に行ったらよいか分からないのと同じです。そこで仕方なく、「キリンちゃん、あなたが私に希望することは？」と聞きました。

キリンちゃんはとてもきれいな子です。キリンちゃんは立ちあがり、頭を上げて言いました。

「パパとママは私をここに連れてくる前に、『いい？　私たちはとても高貴な種族だということを、おまえはずっとしっかり覚えておくんだよ。頭を上げて、木のてっぺんの葉ばかり食べるのが、私たちが高貴な種族である証なんだ。もちろん、私たちは何の仕事をする必要もなく、ウシやウマのようないやしいものだけが仕事をするんだ。でもおまえが家でさみしく過ごし、気がふさいで病気になってはたいへんなので、幼稚園に入れるんだ。子どもたちと遊んで、のんびり過ごしなさい』って言いました。だから私はここに来たんです。先生は何も教えてくれる必要はなく、私をのんびり過ごさせてくれればそれでいいです」

「そうだったの」

　クマ夫人はあまりゆかいに感じなかったので、ただうなずいて、理解したことを示しました。彼女はサルちゃんにも聞きました。

「サルちゃん、あなたはどう？」

　サルちゃんはクマ夫人が彼を呼ぶのを聞くと、ぴょんと跳んでいすの背に立ち、目をくるくると回し、まるで、いたずらっ子のようです。

「先生は『西遊記』を読んだことがありますよね？『西遊記』に出てくる孫悟空は、西王母の桃を盗みました。ぼくも西王母の桃を食べてみたいのですが、どうやったら天界に行けるか、どうやったら桃を手に入れられるか分かりません。このことをぼくに教えてくれれば、ぼくは三千年、三万年、先生に感謝します」

「私があなたに盗みを教える……」

　クマ夫人はもはや言葉を続ける気力もありません。彼女は全身をブルブルと震わせ、眼鏡を震えで落としてしまい、しっかりと見張った二つの目玉があらわになりました。

次の日、幼稚園は閉鎖されました。なぜなら、クマ夫人は一晩考えても、どの子どもの願いを容れて教育をしたらいいか決められなかったからです。彼女は、考えを決められずにでたらめに教えても意味がないと思いました。彼女は子どもたちを一人ひとり家に送り届け、「クマ夫人の幼稚園」の看板を下ろしてしまったのでした。

一九三一年二月一日

将来何をするか

夏休みになり、李宜と黄和と潘敏の三人の同級生は、いっしょに旅に出る約束をしました。彼らは先生に別れを告げ、また旅の途中で注意すべき点を教えてもらおうとしました。

先生は彼らの話を聞くと、とても喜んで言いました。

「旅には言い尽くせないほどのよいところがあり、きみたちが明晰な頭脳を持っていれば、見聞したことすべてが、きみたちが当然得るべき報酬となるだろう。でも、何に注意すればいいか、言うのは難しい。なぜなら、この世のどんなことにも、しかるべきときにそれを生かす道があるからだ。この件は二百五十グラムで、あの件はたった二百グラムというような秤はない。けれど、きみたちに一つの課題を与えることはできる。きみたちはいろいろな物事に注意すると同時に、この課題に答えることを忘れてはならない。そうすればきみたちのこの旅は、より意味のあるものとなるだろう」

「それはどんな課題ですか、先生」

三人の子どもは声をそろえて聞き、三組のキラキラと輝く目からは、熱い期待の光があふれていました。

先生は言いました。

「私は以前、きみたちに将来何をしたいかと聞いたことがあるよね。きみたちはいつも頭を振り、自分でも分からないと言っていた。今、私はやはりこの質問をしたい。すぐに答える必要はないから、旅の途中にそれを考えなさい。きみたちが見聞きするすべてのものが、答えを出すのを助けてくれるだろう」

「そうなのですか？」

李宜は先生の顔を見ながら、頭の中にぼんやりと新鮮な風景や見知らぬ人を思い浮かべましたが、こうした風景や人たちが、どうして自分が将来やりたいことを決めるのか、よく分かりませんでした。

「ぼくたちはまだ十一、二歳の子どもで、何をするにしても十七、八歳になるまで待たねばなりませんよね」

黄和はまだこの問題を語るときではないと考えていました。

潘敏が続けて言いました。

「何をやるにしてもその人の能力によります。ぼくらはまだ能力が十分ではなく、これから努力していく必要があります。将来商売をするのか、病院の管理をするのか、今はまだ分かりません」

先生はうなずき、みんなを見回して言いました。

「きみたちはみんないいことを言う。きみたちはまだ若く、仕事をする能力もないから、今はまだ仕事を一つ選ぶことはできないだろう。私は今すぐに将来の仕事を決めろと言っているわけではない。きみたちの今回の旅にたとえると、東西南北の方向をまず先に決めて、ようやく出発することができる。私が出した課題も、きみたちの将来の方向を決めるためのものだ。ただ頭の中で空想するだけでは、方向を決めることができない。でも、いろいろ実際の経験を積めば、自然に妥当な結論を出すことができる。旅の途中できみたちが経験することはきっと多いだろう。だから、この問題について心に留めておいてほしいんだ」

「先生がそうおっしゃるのなら、私たちももちろん、心に留めておきたいと思います」

約束するかのように、三人の子どもは言いました。

「では、また会いましょう、先生」

「また会おう、小さき友たちよ」

三人の子どもは先生に別れを告げて出てくると、明るく晴れた青空を見上げ、すばらしい未来の生活を想像しました。

潘敏は言いました。

「方向を決めたら、ぼくらはみなそれに向けてあらゆる努力をするだろうし、努力する楽しみもさらに増すことだろう」

三人の子どもはまず、ある都市にやってきました。通りの両側にはお店が並んでいます。果物屋の色彩は鮮やかでみずみずしく、シルク店の色はキラキラしていて、薬屋さんは真っ白で、電器店は銀と金が入り混じっています。とつぜん、乳白色の光が目に入り、彼らは足を止めました。

それは象牙店で、ガラスケースに象牙の彫りものが陳列されていました。老寿星〔中国の吉祥の神様〕、山水屏風、女性用アクセサリーボックス、ばくち用のパイなどいろいろあって、枚挙に暇がなく、店の中の装飾も清潔で美しく、ほこりも気がひけるのか、一粒たりとも飛んでこないといった感じでした。

店の中には老人が一人いるだけで、頭を下げ、眼鏡をかけ、カウンターの上にかがみこんで仕事をしています。彼は象牙の球を彫刻していて、それは小さなスイカくらいの大きさです。とても細かな仕事で、右手に刀を持って、その象牙の球にぴったりくっつけ、ずっと待っていても、彼はまったく動いていないように見えます。彼の体は固まってしまったようで、手の皮膚の色は、白くうるおいを帯びた象牙の色と比べると、黒く、乾いて見えます。その象牙の球を改めて見ると、その表面にはすでに極めて精緻な花模様が刻まれています。老人は刀先を花模様の下の層に差し入れて、三センチ余りの深さのところを注意深く削り取っています。

「これは何ですか？」

李宜は聞きました。

老人はようやく体を動かしました。彼は頭を上げ、眼鏡のわきから柵の外にいる子どもたちを右目でにらみました。彼の左目は見えなくなっていたのです。彼はゆっくりと息をつき、ひとりごとのように言いました。

「これは子母牙球といって、球の中に球があり、その球の中にまた球があって、ぜんぶで二十四層、どの球も外の球と同じように、表面に細かい花模様を彫る必要があるんだ」

「そりゃたいへんですね！」

黄和が思わずおどろいて言いました。

「どうしてつなぎ目が見えないんですか？」

潘敏も言いました。

「何だって？　つなぎ目？」

老人はちょっと怒り、侮辱の言葉を聞いたかのように言いました。

「分からないなら、教えてあげよう。もしつなげてできたものなら、珍しくも何ともないだろう？　これは一つの象牙の塊からつくったんだ。まず外の花模様を彫り、しだいに中をすかし彫りにして一つの丸い球をつくり、自由に動くようにするんだ。これが二番目の球で、その後、二番目の球の表面を彫刻する。こうやって一層一層彫っていき、二十四層目がこの真ん中の小さな球だ。小さい球の表面にも花を彫刻しなければならず、少しの手抜きも許されない。いいかい、私は一生この仕事をしてきたんだよ」

「一生やってきたの？」

三人の子どもはいっせいに老人の刀を握った手を見て、これはほんとうに神秘的な手だと思いました。そうでなければ、どうしてこのような、考えるだけで難しい仕事ができるでしょうか？

「そう、一生だ」

老人は言いました。

「きみたちくらいの歳のとき、私はこの技術を学び、今はもう六十九年になるからね」

「このような球をあなたはいくつつくったのですか？」

李宜は聞きました。

「一つつくるのに少なくとも一年半かかるので、そんなにはつくれない。これが二十一個目だったかな」

「この球は何に使うんですか？」

潘敏は聞きました。

「金持ちの娘の嫁入り道具の中でも、これはもっとも貴重な装飾品だよ。『母子牙球』＊という名は、子孫繁栄を意味するめでたい言葉だ。私の手にあるこれは、五百万の財産を持つ大金持ちの賈さんが注文したものだ。そこの娘さんが来年の春に嫁に行くんだ。私は今ようやく九層目まで彫り進んだところだよ」

老人はそう言うと、せわしく頭を下げ仕事を続けました。形のないムチが彼を監視しているようです。彼の体はまたさっきのように固まった状態に戻りました。

三人の子どもは目で老人に別れを告げました。彼らは象牙店を離れ、歩きながら議論しました。

李宜は言いました。

「あの技術はほんとうにすごい」

黄和が言いました。

「すごいけど、あまり大きな意味はないと思うな。あの老人はわずか二十数人のために精緻な装飾物をつくって一生を費やすんだ」

潘敏が言いました。

「わずかな人を飾る美術品をつくるなんて何の意味もない。以前の文人は皇帝のために文章をつくり、碑に刻んでその徳をたたえたけど、今から見ると、単なる道化芝居に過ぎないよ」

黄和が言いました。

「ぼくらは先生の課題を忘れちゃだめだ。将来『母子牙球』*を彫刻するような仕事をしたいと思うかい？」

李宜と潘敏は声をそろえて答えました。

「いいや、わずかな人のために体裁を飾るものをつくるなんていやだね」

黄和はうれしそうに続けて言いました。

「ぼくもいやだね。ぼくら三人の考えは同じってことだ」

翌朝、三人は郊外にやって来ました。そこには大きなハスの池があり、池のほとりにはシダレヤナギの木がずっと植わっていて、セミの声がその中から高くなったり、低くなったりして聞こえてきます。

まだ遠いのに、ハスの花のさわやかな香りがしてきて、みんなとても爽快な気分となり、思わず足を速めました。

池のそばにやってくると、彼らはめずらしい光景を目にしました。多くの男女がいて、一人ずつ木のたらいにのって、緑の葉と赤い花の間を行き来しているのです。彼らはみな片手に磁器の鉢を持って、もう片方の手でハスの花を引っ張って下に曲げ、何かを磁器の鉢で受け止めているようです。そして軽く手を放すと花は元どおりにまっすぐになり、続けて別の花に手を伸ばします。男女が行き来しているため、ハスの花も葉もゆらゆらとゆれ、ハスの池全体が赤や緑がゆれ動く光景となっています。

「あの人たちは何をしているんだろう」

李宜は目がチカチカしてきました。

黄和はハス池を見て言いました。

「もちろんヒシの実やハスの花をとっているんじゃ

ないね。彼らはハスの花のお化粧を手伝っているみたいだ」

李宜も潘敏も笑い、このたとえはとてもおもしろいと思いました。

二人の娘さんが木のたらいを岸辺にこぎつけ、岸に上がってきました。どちらも磁器の鉢を持っています。その上に新鮮なハスの葉をかぶせて、まるで宝物を得たかのように、うれしそうな、厳かな表情を浮かべています。

李宜は思わず近寄っていって、聞きました。

「見せてもらえるかな、いったい鉢の中には何が入っているの？」

二人の娘さんは、この三人の子どもが興味深げにしているのを見て、ぜひその疑問に答えなければと思いました。彼女らは用心深く鉢を地面に置くと、体を起こして、額の前の乱れた髪をなでつけてから、ようやく背が少し高いほうの娘が口を開きました。

「鉢の中に入っているのは、ハスの花の中にたまった露よ。一つのハスの花に一滴しかなくて、これくらいの大きさなの」

彼女はそう言いながら、右手の親指を小指に当て、小さな指先を見せて露がとても小さいことを示しました。

もう一人の娘さんが身をかがめて、磁器の鉢の上にかけられたハスの葉をめくって、子どもたちに言いました。

「見てよ、早朝いっぱいかけて、こんな少ししか集まらないの」

三人が鉢を囲んでのぞきこむと、鉢の底にはわずかな水があるだけでしたが、とても強い香りがし、彼らはそれをかいで、まるでハスの花が密生する奥地に来たように感じました。

「あなたたちはこの露を集めて自分で飲むの？」

李宜がまた聞きました。

「ちがうわ」

二人の娘さんは、まるでお世辞を言われたかのように首を振り、恐縮したような表情を浮かべました。

少し背が高い娘さんが言いました。

「これは人が飲むものじゃないの。ここのハスは、他の場所とはちがって、香りが特別なのよ。普通のハスは清らかな香りがするけど、薄いの。ここのハスも清らかな香りだけど、とても濃いの。普通のハスは香りが消えやすいけど、ここのは香りがずっと消えず、何かにつくと、十日も半月もずっと香っているの。科学者によると、ここのハスの花の露は高級な香水をつくるのにもっとも適しているんだって。だから、毎年ハスの花が咲く季節になると、私たちは毎朝ここに来て、ハスの中の露を集めるの。みんなが集めた露をひとつにまとめ、香水工場に送り、何度も抽出を繰り返し、なにか加えて、香水をつくりあげるのよ。聞くところによると、小さな香水瓶一つの値段は私たち家族が半年食べていけるくらいで、もちろんお金持ちの奥さんやおじょうさんしか使えないわね」

三人の子どもはようやく分かって、なにかふしぎな話を聞いたかのように互いに顔を見合わせました。

もう一人の娘さんが丁重に鉢を持ち、連れに向かって言いました。

「早く帰りましょう。こんなに暑いと、長く置いておいたら露が乾いて、損しちゃうわ」

二人の娘さんは注意深く鉢を持ち、急いで帰っていきました。

黄和は彼女たちの後ろ姿を見て、ため息をついて言いました。

「まさか世界にこんな仕事をしている人がいるとは思いもしなかったよ」

「これもまた、もちろん意味のある仕事ではないなあ」

潘敏は片手で軽く額をかきながら、考えこみました。

李宜は続けて言いました。

「どうして意味がないか、よく考えてみてもいいんじゃない？」

潘敏は言いました。

「香水というもの自体、役に立たないからじゃない？」

黄和が言いました。

「金持ちの奥さんやおじょうさんが世界にどれだけいると思う？　これだけ多くの精力と労力を費やして、わずかな奥さんやおじょうさんが体にふりかけて香りを楽しむものをつくるなんて」

潘敏が言いました。

「つくったものが有用かどうかなんて関係なく、お金になればいいんだろう。昨日のあの老人の象牙の球も同じじゃないか」

「こんなことはぼくらがやりたいことじゃない。お金になりさえすれば、つくるものが役に立つかどうかはどうでもいいとは思えないもの」と、李宜が最後に結論づけました。

彼らは大河のほとりにやって来ました。この大河は重要な輸送路で、岸辺にある船着き場には、大小の船がたくさんとまっていました。帆柱が一本一本空中にそびえ立ち、帆柱の先から斜めに張られたロープが豪快な美しい線を描いています。多くの人夫が船着き場で忙しそうに働いていて、腕をむきだしにし、全身汗だらけになり、船の荷を運び下ろしたり、荷を船に運びあげたりしています。荷をいっぱいに積んで、走り去ろうとしている船があります。高くて広い帆影が日にきらめく川面に映り、しだいに遠ざかり、川が蛇行しているはるか向こうでは、帆だけがハンカチのように見え、平原の上をゆっくりと移動しています。

船着き場にはたくさんの倉庫が並んでいます。三人はある倉庫の入り口に辿り着き、多くの人がかごを担いで出入りしているのを見ました。麦を持って入っていき、地面にそれを空けていくので、出てくるときにはかごは空です。倉庫の中では黄色の麦が六、七十センチにも積みあげられ、さらに麦がたえず積まれ、前からあった麦と混ざりあっています。

紺色のシャツを着た人が空いたカゴを担いで出てきました。黄和は彼を引きとめて聞きました。

「あなたのその麦はどこからきたのですか？」

「自分で育てあげたものだよ」

その人は自分の育てた麦から力を得たかのように胸をたたきました。

黄和は出入りしている人を指さして、また聞きました。

「じゃあ彼らのは？」

「みんな彼ら自身が育てたものだよ」

「どうして麦をここに集めるのですか？」

「ここに集めて船に積み、別のところに運ぶんだ。この川は東へ、南へ、西へ、北へあらゆるところに通じていて、麦を船に積めば、どこにでも運べるんだ」

その人は右腕を上げて、空中に大きな円を描き、彼が主人で、自分の領地を他の人に示しているみたいです。

「そういうことですか。ご説明ありがとうございます」

三人は声をそろえて言いました。

その人は空いたカゴを担いで去り、三人はまだそこに立って眺めていました。一かごの麦がそこに空けられると、みんなの麦が集められて家になるみたいです。続けて二かご目、三かご目が来ましたが、ようすはみんな同じです。李宜はとてもおもしろく思い、言いました。

「もしこの倉庫の中から麦を一かご分、自分で育てたものだけを一粒一粒より分けようとしたら、できると思う？」

「もちろん、無理だよ」

潘敏は言いました。

「でもだれもが倉庫の中には自分の麦が一かご分入っていると信じている。どうして自分が育てた麦をより分ける必要があるんだい？」

黄和は向きを変え、岸辺の無数の帆柱を眺めて言いました。

「一人の人が育てた一かご分の麦は、船で八か所や十か所、いや百か所にも運ばれていくだろう。この大河には各地へ行く船があるからね」

潘敏が続けて言いました。

「どれだけの場所に運ぶとしても、みんな人の飢えを満たすためだよね。ぼくらが食べたお昼のマントウも、さっきの人が昨年植えた麦からつくったものかもしれない。麦を育てる人がいて、その恩恵を受ける人がいる。麦が一か所に集められても各地に分散していっても、実際には何のちがいもなく、その恵みを受けるのは同じように人々なんだ。だれかが一かご分の麦を余計に育てれば、人々の食べるものがちょっと豊かになるというわけだ」

「それはおもしろいね！」

李宜は新しいものを発見したかのように興奮して叫びました。

「ものを生産することで、人々に恵みをもたらすことができる。このかごを担いでいる人と同じように、それぞれが自分で育てた麦を倉庫に入れるんだ。ぼくらが将来したいのも、このような仕事であるべきだ」

「そうだ、そういう仕事をすべきだよ」

潘敏と黄和もいっしょに右腕を上げて言いました。

彼らはまた、紡織工場見学にも行きました。工場の中には、三千人余りの男女の労働者がいました。機械はすべてベルトで動き、歯車が回り、レバーが伸び縮みしています。労働者は手や足を使って、全神経を機械の管理に集中させています。工場全体が生き生きとした躍動的な世界となっています。機械音が少しうるさいですが、とてもリズミカルで一定しているので、勇壮な楽曲のようにも思えます。

三人はまず材料倉庫にやってきました。そこには真っ白な綿花が、彼らの身長よりもうず高く積まれています。運搬する労働者は大きな包みを一つ一つ背中に背負って入って来て、この綿花の山はどんどん大きくなっています。

黄和は仲間のそばに近寄って、大きな声で言いました。

「麦の倉庫と同じで、この綿花も、どれだけの人が育てたものか分からないけど、今はみんないっしょになっているね」

李宜と潘敏はうなずき、彼らもそう感じていることを示しました。

彼らはまた、紡績作業場へやってきました。ここに届けられた綿花は、まずほぐされ均一に梳かれて、その後撚ってひも状にし、太い糸、細い糸に紡ぐのですが、これらの作業はすべて労働者が操作する機械によって行われます。

作業場を出たとき、潘敏は興味深げに言いました。

「綿糸をほぐしたり梳いたりするのは労働者の力で、その綿花を育てた人の力と融合してひとつになる。ほぐしたり梳いたりした綿花を撚ってひもにし、それを紡いで糸にするのも労働者の力だ。それが綿花を育てた人の力とからみあって、より緊密でより丈夫なものになるんだ。もし、人の力がなければ、何事も成し遂げられないよね」

「そうだ、賛美に値するのは人の力だ！　力、力、人の力だ！」

黄和はまるで行進曲を歌うように言いました。彼は右手で潘敏を、左手で李宜を引っ張り、三人は足並みをそろえて歩いて、教練中の兵士のように、織布の作業場へと向かいました。

作業場の中には、数十台の織布機が整然と並んでいました。織布機の上には整然と縦糸が張られ、梭が猛スピードで往復し、横糸を縦糸の間に通しています。巻き取り軸の上に新しく織られた布がどんどん巻かれていくのが見えます。

「見て！」

黄和は二人の仲間の手をゆすって言いました。

「織布する労働者の力によって、綿花を育てた人の力が織り交ぜられて一つになっているよ」

李宜はそれを聞いて感動し、「ぼくらが着る服があるのは、世界のあらゆる人が着る服があるのは、すべてこうした力のおかげだね」と言いました。

「まったくそのとおりだ」

潘敏は宣誓するかのように言いました。

「ぼくらは将来やりたいことの方向を決めたね。自分の力を捧げて、みんなの力と融合させ、からみ合わせ、織り交ぜて、みんなに使ってもらうものを生産する。これがいちばん正しい方向だ」

「そのとおりだ。ぼくらは、これがいちばん正しい方向だと決めた」

黄和は、潘敏と李宜の手を、互いに誓いあうようにしっかりと握りしめました。

李宜は笑って言いました。

「さあ、そろそろ帰ろう。先生の課題に答えることができる。前のように頭を振る必要はないよ」

一九三一年十月十四日

＊「母子牙球」は原文ママ。前には「子母牙球」と書かれている。

月娘の縁談

むかし、こんなことがあったそうです。

月娘はいちばん役に立つ夫を選ぼうとしていました。人は、彼女が太陽を選ぶのではないかと思いましたが、彼女は、太陽があまりにひ弱で役に立たない、毎日ただ空に立っているだけで何もしないといやがりました。彼女はそんな夫は望まなかったのです。

月娘は世界でもっとも役に立つのは電気であると聞きました。電気は光になり、太陽と同じように明るく輝きます。熱にもなり、たきぎや石炭と同じように食べ物を調理することができます。電気は力にもなり、牛や馬のように車を引くことも、人と同じように作業をすることもできます。電気こそ彼女が望んでいた夫です。彼女は仲人の月下老人に、電気のところに行って、電気が彼女を妻にしたいかどうか聞いてもらうことにしました。

月下老人はとてもうれしそうに駆けていきました。月娘はあんなにきれいだし、この婚姻はきっと成功すると思ったのです。彼は電気を探し当て、老眼の目を細めて言いました。

「おめでとうございます。あなたに運が向いてきましたよ。あの月娘、世界でもっとも美しいお方が、あなたのことを気に入ったのです。彼女は私に仲人を頼みました。あなたの運が向いてきたと言えますでしょ？」

電気はとても奇妙に思い、彼にたずねました。

「どうして彼女が私を気に入ったか、あなたは知っていますか？」

月下老人は言いました。

「あなたは世界でもっとも役に立ち、偉大な仕事をなんでもすることができる。あなただけが自分の夫にふさわしいと彼女は言いました」

電気は頭を振って言いました。

「彼女が世界でもっとも役に立つものに嫁ぎたいなら、私は彼女の夫にはふさわしくありません。彼女が私のことを役立つと言っているのなら、それはまちがいではありません。でも、私はやはり石炭に頼らなければいけないのです。私の実家は発電機ですが、石炭を燃やして私に力を与える必要があり、それで私はやっといろんな仕事ができるのです。そうなると、石炭のほうが私よりも役に立つことになるので、月娘は石炭と結婚するほうがいいと思います。もし私に嫁いだら、彼女は将来失望するにちがいありません。私は彼女が失望してしまうのが恐いので、彼女の好意にそむくしかないのです」

月下老人は電気の言葉はもっともだと思い、月娘のところに戻り、この縁談は成功しなかったと報告しました。月娘は電気よりも石炭のほうが役に立つと聞いたので、月下老人に石炭のところに行って、彼女の代わりに結婚を申しこんでくれと頼みました。

月下老人は石炭を探し当てると、また老眼の目を細めて言いました。

「石炭さん、月娘は、あなたが世界でもっとも役に立つものだ、電気に力を与え、彼にあらゆる偉大な仕事をさせることができると耳にしました。それであなたを気に入って、私を仲人としてよこされました」

石炭はそんなことがあろうとは思ってもいなかったので、とても残念そうに言いました。

「月娘の好意に、私はとても感激しております。でも、私はもう年老いており、それに地下に数千万年も隠居しておりましたので、全身真っ黒で、どう考えても美しい月娘にはふさわしくありません。どうかご老人よ、私に代わって彼女に婉曲にお断りを入れてください。もしご老人が本当に月娘の仲人をなさるなら、植物さんをご紹介いたします。植物さんは私の本家ですが、まだ年は私よりもはるかに若いのです」

月娘はまた月下老人に頼んで、植物を探しにいかせました。植物は月下老人がやってきたわけを聞き、やはりそれに応じようとはしませんでした。彼は不満げに言いました。

「石炭が私を月娘に紹介するなんて、本当にぼけているとしか言いようがない。月娘は世界でもっとも役に立つものを選ぼうとしている。私は役には立つが、いちばん役に立つとはいえない。世界でもっとも役立つのは太陽さんだろう。私なんぞは、あらゆる力を太陽さんからもらっている。もし彼がいなかったら、土や空気から養分をとり、自分の血や肉とすることはできないのだ。どうかご老人よ、月娘に『太陽さんこそ世界のあらゆる力の源で、世界でもっとも役立つものです。もし太陽さんがいなかったら、植物はなく、石炭も、電気もないのです』とお伝えください」

月娘は月下老人の報告を聞いて、途方にくれました。

月下老人は彼女をなぐさめて言いました。

「娘さん、悩むことはありません。太陽は世界でもっとも役に立つものですから、あなたは彼に嫁がれるとよいでしょう。彼は空でただぼんやり立ち、何もやっていないように見えるかもしれませんが、実際にはだれよりもたくさんのことをしているのです。どうしてぐずぐずなさるのですか？　私は太陽のところに行きます。今度は必ず成功すると保証しますよ」

月娘は月下老人の次第に遠ざかる背中を見て、一言も言わずに、黙って月下老人の提案に同意したのでした。

一九三四年五月

いちばん有意義な生活

　小さな灰色の石と小さな黒い石がありました。山の水に流されて浅瀬にたどりつき、多くの石の間に留まって、もう一年ほどが経ちます。近くには青々と草が生え、かわいらしい小さな花を咲かせていて、チョウやイナゴがたびたび飛んできます。石たちの生活はとても静かで、とても快適でした。

　ある日、小さな灰色の石が、小さな黒い石に言いました。

「あまりに静かなので、ちょっと居心地悪いよ」

「そうだね。本当に静か過ぎる。山の水に流されてきたときにはとてもぼんやりしていたので、これからどうなるか分からなかったけど、あのときのことがほんとうに夢のようだ」

「このような静かな日々はもうたくさんだ。一年じゅうここにいるのは退屈すぎる。ぼくがチョウやイナゴのように、行きたいところに行けたらいいのに」

　小さな黒い石はしばらく考えてから言いました。

「くだらないことを言うなよ。ぼくら石の天性は、ずっと動かずにいることだよ」

「天性とはいっても、ずっと動かずにいて、どんないいことがあるというの？　山の上のぼくらの故郷には、水晶やメノウがたくさんあっただろう？　彼らはみな都市に行って、じょうちゃんの髪飾りになったり、坊ちゃんのボタンになったりする。彼らはどこにでも行って見聞を広めることができ、おもしろい生活を送ることができる。ぼくの体にもきれいな色ツヤがあるので、都会に行ったら、じょうちゃんの髪飾りや坊ちゃんのボタンになれるかもしれないよ」

「それはそうかもしれないけど、でもどうやって行くの？」

「だれかがぼくを拾って都会に持っていってくれればいいな。ずっとここにいるんじゃ、退屈で死にそうだよ。それに、山の上から大水がくれば、ぼくらは海まで流されて、それでおしまいだ。海の底に沈むと、永遠に日の目を見ることはできないよ」

小さな黒い石は太陽に照らされて暖かくなり、とても気持ちよく、小さな灰色の石の話がだんだん間遠になって、間もなく眠りに落ちてしまいました。

数日後、浅瀬に労働者たちがやってきました。彼らは鉄のシャベルで石をすくい、手押し車に投げ入れています。そして手押し車を岸に押しあげ、小石を汽車にのせ、都会へと運んでいくのです。

小さな灰色の石は調子にのって考えました。

「ぼくは都会に行くんだ！ 水晶やメノウに会えるかもしれない。ぼくは将来髪飾りになるのかな、それともボタンかな？ 何になっても同じで、どのみちじょうちゃんや坊ちゃんのお友だちになれる。ほら、早くぼくをシャベルですくいあげてくれ！」

果たして、小さな灰色の石と小さな黒い石は別の小石といっしょにシャベルですくいあげられました。手押し車に放りこむとき、どういうわけか、小さな黒い石が落ちてしまい、草むらの中へ転がっていきました。

小さな灰色の石は大声で叫びました。

「どうしたんだい、きみ。どうしていっしょに行かないの？」

でも答えは返ってきません。小さな灰色の石は、みんな都会に行くというのに、小さな黒い石だけがここに留まるのをかわいそうに思いました。

間もなく、手押し車が動きはじめました。小さな灰色の石は喜びでいっぱいとなり、ガタガタというゆれさえも、とっても心地よく感じました。

三日目の朝、小さな灰色の石と多くの仲間たちは広い道のはしに下ろされました。大きな鉄のスコップによってすくいあげられ、砂とセメントといっしょくたにされ、水が加えられ、幾度となくかき混ぜられました。

小さな灰色の石は全身がセメントだらけになり、かき混ぜられて目が回りそうです。思わず怒って言いました。

「これはいったいどういうことだ？　こんなことってないだろう、ぼくらを何度もかき混ぜるなんて。どうしてぼくらを宝石店に送り届けないんだ？」

大きなシャベルはさらに力をこめてかき混ぜます。小さな灰色の石は全身砂とセメントだらけになり、息をすることすらできません。最後に、砂とセメントといっしょに道路の上に敷かれ、平たく押しつぶされ、むしろが被せられました。

小さな灰色の石は疲れ果てて、声もあげずにいると、とつぜん周囲といっしょに硬くなっているのに気づきました。もともと硬い石だったのが、このときは以前よりも何倍も硬くなったようで、むかしとはかなりちがいます。しばらくするとむしろがとられ、わらじが小さな灰色の石を踏みつけました。

「変だなあ。ぼくはいったい何になっちゃったの？」

小さな灰色の石はしばらく考え、ようやく分かってきました。彼はコンクリートの一部になっていたのです。

それ以来毎日毎日、何人の人が足で小さな灰色の石を踏みつけていったか分かりません。布靴をはいた子ども、わらじをはいた行商人、シルク靴をはいた若い女性、はだしのおもらいさんなどです。小さな灰色の石はとてもたくさんの人の足を見ていて、とても楽しく感じました。

あらゆる人の歩く道となるのは、この上なく楽しいことです。小さな灰色の石は、張という姓でも、李という姓でもなく、まただれの持ち物でもなくて民衆に奉仕するものなのです。彼は民衆の足を支えているのであって、もはや水晶やメノウをうらやむことはありませんでした。彼は、自分がいちばん有意義な生活を送っていると思ったのでした。

「小さな黒い石が言ったことはほんとうに正しかった。ぼくら石の天性とは、ずっと動かずにいることなのだ。でも、今のぼくのようにじっと動かないことで、初めて意義があるんだ!」

小さな灰色の石はそう思いながら、彼を踏みつけて過ぎていく人の足を眺めているのでした。

一九三四年五月

(もとは「都市へ行く」と「大衆の足を支えているもの」という二つの別の作品であった。)

鳥獣の言葉

一羽のスズメと一匹のリスが、一本のコノデガシワの木の上で出会いました。

リスは言いました。

「スズメの兄貴、何かおもしろいニュースはあるかい？」

スズメはうなずいて言いました。

「あるよ、あるよ。最近聞いたんだけど、人類はぼくらをバカにして、ぼくらが彼らのように口を開いて意見を言うのはふさわしくないと言っているそうなんだ」

「どうしてそんなこと言うんだい？」

リスは目を細めて、よくよく考えているようです。

「われわれは明らかに口を開けて話ができ、意見を言えるのに、どうしてぼくらにはふさわしくないと言うの？」

スズメは言いました。

「ちょっと簡単に言い過ぎたかな。彼らの話では、自分たちは高貴で、ぼくらの話は卑しく、とても劣っていて比べものにならないと考えているみたいなんだ。彼らの話は本に書き留めたり、碑に刻んだり、放送用の機械で放送したりする価値がある。けどぼくらの話はふさわしくないというんだ」

「きみはそれをどこで聞いたの？」

「ある教育者の家だよ。昨日、ぼくは遊びに飛んでいって、その教育者の家の軒にとまって、彼がうつむいて文章を書いているのを見ていたんだ。そのタイトルを見ると、そこに『鳥獣の言葉』という字があったので、ぼくは気を引かれたんだ。彼はぼくらのことをどう書いているんだろう？　思わず読みつづけると、それは人類の小学校の教科書について述べたもので、教科書にはしばしば『鳥獣の言葉』が書かれ、小学生に鳥や獣と仲良くさせようとしているが、こんなことでよいのか！と言っていたんだ。彼はまた、それは人類の堕落であり、小学生が鳥獣の言葉を話していると必ず考えが明晰でなくなり、行為が正しくなくなり、鳥獣と変わらなくなると言っている教育者がたくさんいるとも書いていた。最後に彼は、小学校の教科書から必ず『鳥獣の言葉』を完全に排除する必要があり、そうすることで初めて人類の教育に明るい希望が見えてくると書いていたんだ」

リスは右の前足を上げて下あごをかきながら言いました。

「ぼくらは自分たちで話をしていて、人類に小学校の教科書に書いてもらおうなどとは思っていない。それなのに書いただけでなく、ぼくらの言葉にその資格がないと言うなんて！　もし将来、ふつうの小学生がほんとうに考えが明晰でなく、行為が正しくなくなるとしたら、責任をわれわれに押しつけているようなものだ。人類は本当にバカで、おごり高ぶったやつらだな！」

「ぼくがいちばん怒りを感じるのは、その教育者がわれわれを眼中に置いていないことだ。何が『小学生に鳥や獣と仲良くさせようとしているが、こんなことでよいのか』だ！　何が『必ず考えが明晰でなくなり、行為が正しくなくなり、鳥獣と変わらなくなる』だ！　人類にとって、ぼくらと友だちになることは、彼らを侮辱することなのかい？　ぼくらの考えが特に明晰でなく、行為が特に正しくないのかい？　彼らの考えはそんなに明晰で、行為が正しいと言うのかい？」

スズメはここまで言うと、胸を張って、雪が降ったときにそれに対して怒るような姿勢をとりました。

リスは生まれつき聡明なので、笑みを浮かべ、スズメをなぐさめて言いました。

「怒る必要なんてないよ。彼らがぼくらを眼中に置いていないとしても、ぼくらは彼らを敬うことも、眼中に置かないこともできる。何事も実際に即して考えることで、知識や経験を増やすことができるんだ。今考えなければいけないのは、人類の言葉は彼らが考えるほど高貴なのか、ぼくらの『鳥獣の言葉』とどうちがうのかということだ」

「彼らは、ぼくらの『鳥獣の言葉』よりも卑しくて、価値がないことを恐れているだけだろう！」

スズメはやはりプンプン怒っています。

「スズメの兄貴、兄貴の言葉はあまりに独断的だよ。あることを論じるとき、証拠を探さずに判断することを独断と言うんだ。独断はあまりよくないので、そういう態度をとらない方がいいと思う。ぼくらは証拠を探す必要がある。一度、人類が住んでいるところに行ってちょっと考えてみるのがいいかも」

「行こう、行こう」

スズメは羽をばたつかせ、飛びたつ準備をしました。

「行ってたくさんの証拠を見つけたいね。こうした証拠によって、ぼくらの小学校の教科書に、世の中でもっとも卑しく、もっとも価値がないのは『人類の言葉』で、ぼくら鳥獣の言葉は決して人類の言葉のようであってはならないと書くんだ！」

「まだ怒っているの？　じゃあ出かけようじゃないか。きみは空を飛び、ぼくは木の上や地面を跳びはねて行くよ。ぼくらの速さはさほど変わらないだろう」

スズメとリスはすぐさま出かけました。うっそうとした森や緑野を抜け、人類が集まって住む都市へ着くと、三階建ての建物の軒にとまりました。

都市の大通りにはたくさんの人がいて、ぼうぼうと髪が生えた頭が集まってゆっくりと前進する波のようで、どれくらいの人がいるか数えきれません。人々は数歩ごとに両方の素手を上げて、大声で「われらには手がある、われらに仕事をよこせ！」と叫んでいます。しばらくすると、またへこんだおなかを叩いて、大声で「われらには腹がある、飯を食わせろ！」と叫びました。みんなの叫び声が一つとなって響きわたっています。

しばらく聞いた後、リスは振り返り、スズメに言いました。

「この二つの『人類の言葉』は悪くないね。『手があるから仕事が必要だ、腹があるから飯が必要だ』って、すごくシンプルで分かりやすい理屈じゃない？」

スズメがうなずいて話をしようとしたとき、とつぜん下の大通りで騒動が起きました。数十人の同じ服を着た人が前方から駆けてきて、手には白く短い棍棒を持ち、腰には黒く光る拳銃をはさみ、人の群れのそばに着くなり広がって、短い棍棒を振りあげ、むやみに振り回して、人々を追い散らそうとしたのです。しかし、人々は散り散りになることなく、逆にしっかりと固まって、頭でできた波を何度も左右に揺らして、相変わらずゆっくりと前進しています。

「われらには手がある、仕事をよこせ！」

「われらには腹がある、飯を食わせろ！」

手に棍棒を持った人たちは怒って、大声で叫びました。

「声をあげることは許さん！　お前らはいったい何なんだ。好き勝手にわめきやがって。これ以上犬のようにワンワン吠え、カラスのようにガアガア騒ぐのは許さんぞ！」

スズメは羽でリスを押して言いました。

「聞いたかい？　きみがさっき悪くないと思った

二つの『人類の言葉』を、あの棍棒を持った人は『鳥獣の言葉』だと考え、彼らに言うのを禁じたよ。これは単にバカで傲慢なせいだけでなく、別の理由があるんだろうね」

リスが続けて言いました。

「きっと別の理由があるんだよ、別の理由がね。ただぼくらはすぐには分からない。でも分かったことが一つある。人類は自分が聞きたくない言葉をぜんぶ『鳥獣の言葉』だと考えるんだ。犬のワンワンやカラスの騒ぎ声以外にも、たぶんいろんな言い方があるんだろうね」

スズメは言いました。

「彼らの小学校の教科書で、『鳥獣の言葉』を拒絶するのは、どうやらこのためみたいだね」

リスとスズメが話しているうちに、下の大通りにいたたくさんの人たちは次第に遠ざかっていきました。遠くから見ていると、棍棒が顔に向かって振り回されていても、彼らはずっと一つに固まり、絶えず叫び声をあげています。さらにしばらくして、彼らは曲がって左のほうに行って、姿が見えなくなり、叫び声もさっきほどはうるさくなくなりました。リスはスズメの背中をたたいて言いました。

「違う場所に行ってみようよ」

「そうだね」

スズメはリスが言い終わらないうちに羽を広げ飛んでいき、リスはスズメの後を追い、ちょうどいい具合に連なった屋根の上を駆けていきました。

長いことかけて、彼らは別の場所へ着きました。大きな広場に無数の軍隊がいて、歩兵隊、騎馬隊、砲兵隊、それに飛行機や戦車が整然と並んでいて、遠くから見ると、大きな四角い塊が大きな刀で切られたばかりのようです。これらの隊列はみな一体の銅像のほうを向いています。この銅像は騎馬の人物で、頭に兜をかぶり、ふたつのひげが上にピンと

はねあがり、まさに「当代に及ぶ者なし」といった気概を感じさせます。

スズメは「ここはいったい何？　ちょっと見てみよう」と言い、その銅像の兜の上に舞い降りました。リスもぴょんと跳びはねて、右のひげの上に隠れました。リスはひげと同じ方向に尾っぽをぴんと立てたので、下から上を見ても、銅像がひげを剃り残したみたいにしか見えません。

とつぜん、行軍太鼓が叩かれ、ラッパが吹き鳴らされて、兵士がみな手を上げて敬礼をしました。高々としたほお骨とサイのような口、突きでた丸い目玉の人物が一人、銅像の下の階段をのぼっています。彼は銅像の前まで来ると、立ち止まって向きを変え、すべての兵士に顔を向けて演説を始めました。一つ一つの声が腹の中から出てきて雲の中に消えていくようすは、炸裂した爆竹のようです。

「われらの敵は世界でもっとも野蛮な民族であり、われらの文明はこれを征服せねばならない。われらの機関銃、重砲、そして飛行機、戦車を使って、彼らをわれらの足元におとなしく跪かせよう！　彼らが抵抗するだの、自分の国を守るだのと言っても、それはブタの鳴き声、アヒルの叫びのようなものに過ぎない。今日諸君は出発し、われら文明人の力を見せつけ、あの野蛮人にこれ以上ワーワーと叫ばせるな」

リスは頭を上げて、小声で言いました。

「また自分が聞きたくない言葉を『鳥獣の言葉』と考えているよ」

スズメは言いました。

「機関銃や重砲などは人を殺し、物をこわすものなのに、どうして文明人と言えるんだろう？」

「きっと、この演説家の『人類の言葉』では、『文明』と『野蛮』の言葉の意味が、ぼくらの理解とはちがうんだろうね」

「彼の考えでは、凶悪なライオンや横暴なタカがいちばん文明的ということになるね。でも、ぼくらを残酷に一口で飲みこんでしまうライオンやタカが、いちばん野蛮だとぼくらは思っているけどね」

リスは冷ややかに笑って言いました。

「ぼくがもし人類だったら、この演説家の言っていることこそ『鳥獣の言葉』だと言うだろうなあ」

「見て！」

スズメがリスに注意をうながしました。

「出発したよ。彼らについていって、『野蛮人』にどう対処するのか見てみよう」

リスはするりと銅像の上から降りてきて、すぐに軍隊の後にぴったりついていきました。続いて軍隊が海を渡るために船にのると、リスは彼らの軍需品をのせる車の中に隠れました。スズメは、船のマストにとまったり、軍需品をのせる車のそばでものを食べたりしながらリスと話をし、いっしょに海の風景を眺めていたので、お互いにさみしさを感じませんでした。

数日後、軍隊は「野蛮人」のいる場所へ上陸しました。スズメとリスはきょろきょろとあたりを見回しましたが、同じような山野、同じような都市、同じような人民がみえるだけで、野蛮さなどまったく感じられません。スズメとリスは軍隊から離れて前へ行き、まもなく大きな広場へと到着しました。ここにも軍隊が並んでいましたが。兵士たちは、ある者は柄の長いほこ、ある者はぼろぼろの後装式の銃を持ち、大砲は一つもなく、飛行機や戦車はもちろんありません。

「スズメの兄貴、分かったよ」

「何が分かったんだい？」

リスは尖った口でその軍隊を指して言いました。

「あの人たちには、機関銃や大砲、飛行機や戦車などがないから、『野蛮』なんだ。そうしたものを持っている、ぼくらがいっしょにきた人たちが『文明的』なんだ」

スズメが何か言おうとしたとき、軍隊の前方にやってきた人物がいました。真っ黒なもじゃもじゃのひげをはやし、背が高く、両目には怒りの光をたぎらせています。彼は声を高くし、軍隊に向かって次のような演説をしました。

「とうとう敵の軍隊がわれらの土地にやってきた。彼らはわれらを殺し、略奪しようとしている。まったく強盗にも劣る奴らだ！　われらには一つの道しかない。それは彼らに強く抵抗することである！」

「彼らに強く抵抗しよう！」

兵士たちはいっせいに叫びをあげ、手のほこや銃を掲げて、空中でゆらしました。

「最後の血の一滴までわれわれは抵抗を続けよう。抵抗しなければ座して死を待つに等しい！」

スズメはそれを聞いてとても感動し、目に涙をためています。

「もしもぼくが人類だったら、ここにいる人たちが話す言葉こそ、『人類の言葉』だと良心に誓って言うよ」

しかし、リスはまた冷ややかに笑って言いました。

「きみは最初のあの演説家の話を覚えていないの？　彼によると、ここの人たちの言うことは、みんなブタの鳴き声、アヒルの叫びなんだよ」

スズメはしばらく黙って考えこんでいましたが、こう言いました。

「ぼくは今、『人類の言葉』は、卑しくて価値のないものではないと確信したよ。当初は、『人類の言葉』はどうせぼくらの「鳥獣の言葉」にはかなわないと思っていた。きみはぼくのことを独断的と言ったけど、確かにまちがいなく独断的だったよ」

「人類は二つのグループに分けることができると思うな。一つは道理にかなったことを言う人、もう一つはまったく道理にかなわないことを言う人だ。彼らはみんな自分では『人類の言葉』であると思っているけど、実際には一概には言えない。でも、ぼくらの『鳥獣の言葉』はそれとちがって、みんなが道理にかなった話をし、一は一で、二は二であり、少しの誤りもない。『人類の言葉』と『鳥獣の言葉』とのちがいはまさにここにあるんだ」

ブーン、ブーン、ブーン

空からタカのような黒い影が飛んできました。その場にいた兵士たちはすぐに散らばり、たくさんの小隊となり、周囲の森の中に隠れました。その黒い影はどんどん大きくなりましたが、それは飛行機で、空中で何度か旋回すると、銀色のものを一つ落としました。

ボン！

この天地をゆるがすような音とともに木の幹、人体、土がいっせいに飛び散り、平地に大きなつむじ風が起きたかのようです。

スズメはおどろいて息ができなくなり、羽を懸命にはばたかせ、海辺までやってきてようやく止まりました。鼻で匂いをかぐと、空気の中に火薬の匂いがしました。

リスは比較的冷静でした。リスは血も肉もぐちゃぐちゃなたくさんの死体の上を跳ねていきましたが、途中でたくさんの避難民が、ウシやヒツジを引き、子どもを抱え、こまごまとした日用品を担いでいるのに出会いました。けれど、友だちを見つけることができません。リスはひそかに「スズメの兄貴もまた、血と肉がぐちゃぐちゃな死体になっちゃったのかな」と思いました。

一九三六年一月十日

作品解説

福井ゆり子

この作品集は、中国の作家・教育家である葉聖陶（ようせいとう）が一九二一〜一九三六年に発表した作品を収録したものです。葉聖陶は中国における現代童話の創始者といえる人物で、現在に至るまでその作品が読み継がれています。

葉聖陶は本名を葉紹鈞（ようしょうきん）といい、一八九四年に中国の江蘇省蘇州市の平民家庭に生まれました。厳しい生活のなかでも、教育に力を入れる家庭であったようです。一九一一年に中学を卒業した後、杭州・上海・北京などで十年ほど小学校教員を務め、その後、書店や出版社などに勤務しながら本格的な執筆活動を開始しました。初めての小説を発表したのは一九一八年で、一九二一年には周作人（しゅうさくじん）、沈雁氷（しんがんひょう）（芽盾（ぼうじゅん））、鄭振鐸（ていしんたく）らと共に、中国近代文学の確立に大きな役割を果たすこととなる文学研究会を創設し、『小説月報』『婦女雑誌』『中学生』などの刊行物の編集に携わりました。童話を書き始めたのは、一九二一年に発表した「小さな白い船」からで、週刊誌『児童世界』に三十篇余りの童話作品を次々と発表しました。一九二八年に彼の唯一の長編作品で、五四運動期の小市民を描いた自伝的色彩の濃い『倪煥之（げいかんし）』を発表しましたが、一九三〇年代には創作活動の第一線から退き、主に教育・文化事業に力を入れるようになりました。一九四九年に中華人民共和国が成立した後には文化界民主派人士として政治協商会議に出席、人民教育出版社社長、教育部副部長などの職を歴任し、教育界の指導にあたりました。それと同時に、詩歌・エッセイ・童話・教育論文などの執筆活動も盛んに続け、一九八八年に九十四歳でこの世を去りました。

中国における児童文学は、二十世紀初頭の白話運動（易しい口語で文学を表現しようとする運動）のなかで生まれたものです。一九一五年に雑誌『新青年』が創刊されましたが、そこには周作人が翻訳したアンデルセンの童話「マッチ売りの少女」も掲載されました。一九二一年には鄭振鐸によって中国初の純児童文学雑誌『児童世界』が創刊され、そこに掲載された葉聖陶の創作童話をまとめたのが、一九二三年に出版された短編童話集『稲草人（かかし）』です（一九二一年から一九二二年に書かれた二十三篇の作品を収録）。そのため、中国の児童文学の確立に葉聖陶が大きく貢献したと言うことができるでしょう。魯迅によって「葉紹鈞氏の『かかし』は中国の童話に独自の創作の道を切り開いた」と評されています。

本書は、この児童文学誕生から二十世紀初めまでの百年間にわたる中国児童文学作家の百冊を集めた「百年百部中国児童文学古典シリーズ」におさめられた一冊を日本語に翻訳したものです。中国の教育現場では、時代の推移とともに葉聖陶の作品があまり顧みられなくなった時期もあったようですが、近年になってこの作品は小学校三・四年生向けの課題図書とされるなど、ふたたび脚光を浴びています。

葉聖陶の作品は、戦時中に『稲草人（かかし）』『古代英雄の石像』などの訳書が日本でも出版されており、一九四三年には中国文学者の竹内好が長編小説『倪煥之』を『小学教師倪煥之』として翻訳しています。戦後になってからも「かかし」や「古代英雄の石像」などの作品は何度も日本で紹介されていますが、近年では入手も困難になっており、今回、このようにまとまった形で日本に紹介されるのは、画期的なことといえます。

表題作「かかし」は、一九二二年に書かれた作品で、葉聖陶（ようせいとう）の初期の童話の代表作であり、昼間の美しい田園風景とは打って変わった真夜中の出来事により、世の中に起きている悲劇を描き出したものです。苦労して育てた稲を虫に食われてしまった老婦人、病気の子どもを放りだして漁をしなければならない女性、捕まえられて死にゆくコイ、夫に売り払われそうになり自殺しようとしている女性など、日常の悲劇に対し、何の力にもなれず、何も変えることができず、ただ焦って見ていることしかできない「かかし」に、己の絶望を重ねて描いたものです。「かかし」が書かれたのは、中国国内が分裂し、列強が中国の領土を虎視眈々（こしたんたん）と狙っていた時代です。この時代の中国人の苦しみ、現実を変えたくてもどうすることもできない己の無力さを嘆く気持ちが込められているといえましょう。

子どもにこんな救いのない、絶望的な話を読ませてどうするんだと非難する人もいるでしょう。また、わずか百年前とはいえ、現代とは状況がまったく異なっていて、人力車とか、カイコとか、見たことも聞いたこともないものがたくさん出てくることに戸惑う子どもも多いことでしょう。こういったものをすべて理解するのはかなり大変なことです。それにもかかわらず、過去の遺物として捨て去られることなく、これらの作品は読み継がれ、脚光を浴びています。それは、すでに遠くなった一九二〇年代という時代の苦しみを、これらの作品により現代の子どもたちに教え、彼らの苦しみの上に自分たちの今の恵まれた生活があるということを知ってもらいたいという中国人の思いがあるからで、自分たちが通ってきた道を、文学作品を通して語り継いでいく必要を感じているからにほかなりません。

この作品集には、表題作「かかし」のほかに、お金や財産に執着する人間への批判精神に溢れた「旅行家」「大金持ち」、メルヘンチックな描写のなかで貧富の差、社会の不平等を描き出す「フラワーガーデンの外で」、人の心に根差す高慢さを批判する「古代の英雄の石像」、中国的な辛辣さに溢れる「皇帝の新衣装」、中国の伝統的な儒教教育の欠点に対する批判がさりげなく込められた「本たちの夜話」、仕事をするということはどういうことなのかを考えさせられる「カイコとアリ」や「将来何をするか」、行き詰ってしまった真面目な教育者を描く「クマ夫人の幼稚園」など、バリエーションに富んだ三十二の作品が収録されており、すべて葉聖陶の教育者としての思想が込められたもので、童話という範疇を超え、大人が読んでじっくり味わうに値する興味深い作品ばかりです。実際には、時代が異なると同時に文化も異なるため、日本で育った子どもがこれらの作品を理解するのは、中国で育った子どもが理解するよりも、さらにハードルが高いといえます。しかしこれらの作品は、時代の差も地域の差も乗り超えることができる普遍的な魅力を持ち、これからも長く語り継がれていくことでしょう。

付録

作家のアルバム

紹興の黒い苫でおおった小船の中で。左から賀昌群、作者、周予同（1928 年 1 月撮影）

抗戦期間中の作者と胡墨林夫人（1943 年初春、成都・新西門外、羅家碾の自宅近くの小川のほとりにて）

「黙って静けさと向きあい、長座して晴れた山々を眺める」1971 年夏の作「遊香山」（1971 年 6 月 2 日北京・香山にて撮影）

葉聖陶氏（1978 年撮影）

家で子どもたちをもてなす作者
(1980 年撮影)

作者（左）と呂淑湘氏
(1987 年秋　自宅の庭で撮影)

葉聖陶氏

作文课是练习用自
己的话表达自己要
说的意思。模仿不
是好办法，抄袭是自
己骗自己。我恳切
希望小朋友们记住
这两点。

一九八零年国庆节

叶圣陶

作者の自筆原稿
作者が南京市『作文選読』のために記した題辞

「作文の時間は自分の言葉で自分の気持ちを表現する練習をするものです。模倣はよい方法ではなく、盗作は自分で自分をだますことです。どうかこの二点をしっかり記憶しておいて下さい。

1980 年国慶節　葉聖陶」

著者◉葉 聖陶（よう せいとう） 1894〜1988

著名な作家で教育家。本名は葉紹鈞。葉、郢、郢生、秉丞、翰先といった筆名も用いた。江蘇省蘇州出身。1921 年、沈雁氷、鄭振鐸らと共に文学研究会を創設した。『小説月報』『婦女雑誌』『中学生』などの刊行物の編集に携わる。出版総署副署長、教育部副部長、人民教育出版社社長などを歴任し、第五回全国人民代表大会常務委員、第五回政治協商会議常務委員と中国民主促進会中央主席に就任。中国現代童話の創始者であり、主な作品に「かかし」「古代英雄の石像」などがある。魯迅は 1935 年に「『時計』訳者の話」のなかで、「葉紹鈞氏の『かかし』は中国の童話に独自の創作の道を切り開いた」と評している。

訳者◉福井 ゆり子（ふくい ゆりこ）

東京都生まれ。立教大学文学部史学科卒。出版社に勤務の後、北京へ留学。中国国営雑誌社勤務を経て、現在、日本で翻訳業に従事。

現代中国文学・少年少女編

かかし

2024 年 3月 31 日　第 1 版第 1 刷発行

著　者　　葉 聖陶（よう せいとう）
訳　者　　福井 ゆり子（ふくい ゆりこ）

発行人　　穆 平

発行所　　株式会社 尚斯国際出版社
〒101-0051　東京都千代田区神田神保町3丁目11番　安田神保町マンション505
電話　03-4362-0075

発売元　　株式会社 日本出版制作センター
〒101-0051　東京都千代田区神田神保町2丁目5番　北沢ビル4F
電話　03-3234-6901

レイアウトデザイン協力　蒋夢蝶
装丁デザイン　杉山桃華

印刷・製本　　日本出版制作センター

Shoshi International Publishing Inc.
Printed in Japan
ISBN 978-4-910875-09-5